Studi sul Linguaggio, sulla Comunicazione e sull'Apprendimento

9

Collana diretta da
Roberto Fedi e Marcel Danesi

Augusto Ponzio

Enunciazione
e testo letterario
nell'insegnamento
dell'italiano come LS

ISBN 88-7715-518-3

Fotocomposizione e stampa:
Guerra Guru srl - Perugia

Indice

Premessa

Ci sono delle caratteristiche particolari che la lingua assume quando si presenta come lingua straniera. Essa risulta un *sistema di comunicazione*, un codice in base al quale codificare e decodificare messaggi, un sistema di forme normativamente identiche, un insieme finito di regole, la cui conoscenza permette di formulare e comprendere un numero indeterminato di frasi. Altra caratteristica, secondo questo punto di vista, è il carattere unitario della lingua. Apprendere una lingua straniera è apprendere un sistema unitario di comunicazione, e il fine dell'apprendimento è la possibilità di comunicazione secondo tale sistema, tale codice. I protagonisti del processo linguistico si riducono a due: il sistema di forme normativamente identiche della lingua unitaria e l'individuo che parla quella lingua, che impiega la grammatica della lingua (con i suoi componenti: fonologico, sintattico, semantico) mettendola in uso. L'unità di base del processo comunicativo linguistico risulta la frase: comunicare linguisticamente significa saper produrre e interpretare frasi formulate secondo le regole del sistema della lingua. La comprensione si presenta come identificazione e il segno verbale è ridotto a segnale.

Per chi si accosta a una lingua straniera, nel processo di apprendimento, la lingua si presenta in questa maniera. Questa visione gli viene generalmente confermata dalla linguistica, fondamentalmente perché questa, nata dalla filologia, dallo studio di lingue straniere, soprattutto scritte e morte, ha considerato la lingua come può apparire quando si presenta come straniera. E questo è vero malgrado le dichiarazioni, da cui parte programmaticamente soprattutto la linguistica di Noam Chomsky, di voler considerare la lingua rispetto alla competenza del parlante nativo.

Certamente questo accordo tra ciò che si aspetta chi apprende la lingua straniera e il modo in cui la linguistica considera la lingua può risultare confortevole e gratificante. Ma la questione da porre è se questo modo di considerare la lingua sia quello giusto, se siano legittime la polarizzazione tra *langue* e *parole,* tra competenza e uso, l'assunzione della frase come unità di base – sia che la si debba segmentare nella sua doppia articolazione, fonologica e semantica (strutturalismo tassonomico), sia che se ne debbano mostrare le "strutture profonde" e i processi trasformativi (strutturalismo generativista) –, la riduzione della comprensione a identificazione e la conseguente riduzione del segno verbale a segnale. E soprattutto c'è da chiedersi se sia proficuo l'apprendimento della lingua straniera su queste basi. Un merito della linguistica chomskiana è quello di aver messo in discussione la funzione comunicativa del linguaggio. E ciò potrebbe mettere sull'avviso chi si accinge ad apprendere una lingua straniera come sistema di comunicazione.

La lingua è prima di tutto un congegno di modellazione (*secondario*, quello *primario* è il *linguaggio*: v. oltre). La sua cellula viva è l'enunciazione, e la sua unità complessa è il testo. La polarizzazione lingua-parlante (*langue-parole*, competenza-esecuzione) è impedita dal carattere non unitario della lingua, dal suo plurilinguismo interno, dalla presenza dei generi di discorso, dal carattere mediato e dunque internamente dialogico del discorso che, anche nella forma diretta, è sempre discorso riportato, discorso almeno "semi-altrui". La comprensione non è decodificazione e identificazione. Il segno verbale non è riducibile a segnale. L'apprendimento di una lingua straniera è ostacolato dalla visione, sopra descritta, che generalmente si ha di essa appunto come lingua straniera, anche se la linguistica l'ha generalmente confermata. Un ostacolo di non minore entità è la riduzione dello studio della conoscenza della lingua straniera alla funzione comunicativa. Sono questi gli assunti, secondo noi, da cui partire nel presentare una lingua, nel nostro caso la lingua italiana, a chi si accosta ad essa da straniero con lo scopo di apprenderla. Sono gli assunti di questo libro, ampiamente argomentati e spiegati nella prima parte.

C'è un secondo aspetto che riteniamo importante e che costituisce il carattere particolare del nostro modo di orientare l'apprendimento dell'italiano come lingua straniera: ed è che non è possibile separare lo studio della lingua dallo studio della letteratura in essa realizzata. Ciò perché lo studio delle enunciazioni, dei discorsi, dei testi, dei linguaggi e dei generi discorsuali in cui la lingua vive è enormemente agevolato dalla loro raffigurazione letteraria. La letteratura permette, dalla sua prospettiva specifica, di cogliere in pieno lo spessore dialogico della lingua sul piano semantico e sintattico, perché non si limita a rappresentarla nella sua identità sancita dall'ordine del discorso, ma ne raffigura l'alterità che ne consente l'impiego in maniera non ripetitiva e piatta.

Augusto Ponzio

I.
ENUNCIAZIONE E TESTO
NELL'INSEGNAMENTO LINGUISTICO

1.
Segno, interpretante, enunciazione

Capire un'enunciazione non è la stessa cosa del capire una frase. La frase è qualcosa di astratto e di isolato, essa non appartiene a nessuno e non si rivolge a nessuno. Capire un'enunciazione è comprendere un senso e rispondere ad esso – nel senso più vasto di "rispondere", dalla "risposta emotiva", alla "risposta verbale", all'"azione" (non-verbale) rispondente. La frase per essere capita richiede interpretanti di identificazione; l'enunciazione richiede invece "interpretanti di identificazione rispondente".

L'"interpretante" è la condizione del segno. Perché ci sia segno bisogna che qualcosa abbia significato. Ciò vuol dire che tale qualcosa è *interpretato come questo o quello,* può essere assunto in quanto qualcos'altro. Un oggetto fuori posto diviene segno se interpretato, per esempio, come indicante l'intrusione di un estraneo. L'impermeabile bagnato di una persona che entra in casa diviene segno, se gli si attribuisce il significato "fuori piove". Le tracce, gli indizi, i sintomi sono tutte cose divenute segni in quanto interpretate come altre cose. Ciò vale anche per i segni verbali. Un suono vocale è segno se è interpretato *come* la tale fonia. Se una parola è tale, cioè ha significato e dunque è un segno verbale, è perché può essere interpretata in quanto qualcos'altro, cioè se si può fornire un'altra parola o una frase, una definizione, in italiano o in qualsiasi altra lingua, o un disegno, ecc. che possa dirne il significato. Un testo scritto acquista significato tramite il testo di lettura (che lo legge) – orale o scritto – che ne fornisce l'interpretazione. Tutte le volte dunque che qualcosa è segno, è perché se ne può dare il significato tramite qualcos'altro che ne sia l'interpretazione. Questo "qualcos'altro" è necessariamente un altro segno, in quanto per essere interpretante deve avere significato, e ciò vuol dire che esso sia in grado di ricevere un'interpretazione, che cioè ci sia un altro segno che ne esprima il significato.

Il significato di un segno è detto, è espresso, sempre da un altro segno.
Oppure possiamo dire che *un segno ha il proprio significato in un altro segno.*
Quest'ultimo a sua volta è tale se può avere un segno che lo interpreti, e così
via. Chiamiamo l'oggetto che riceve il significato *interpretato* e quello che
conferisce significato *interpretante*. I segni che sono gli uni interpretanti degli
altri costituiscono un *percorso interpretativo*.

Ciascun segno di un determinato percorso può essere interpretato o interpretante in altri percorsi interpretativi, e quindi costituire un "punto di incrocio" nella rete dei segni. Ciascuno di questi percorsi interpretativi costituisce
uno dei vari significati per i quali qualcosa svolge la funzione di segno. Possiamo dunque definire il *significato* come *uno dei percorsi interpretativi che
collegano un interpretato a una serie aperta di interpretanti.*

Dal momento che da uno stesso interpretato si diramano più percorsi interpretativi, *ogni segno* è sempre più o meno *plurivoco*.

Possiamo, invece, chiamare *segnale* un interpretato-interpretante che si
colloca su un *unico* percorso interpretativo. Il rosso del semaforo, per esempio, è un segnale, perché dà luogo a un unico percorso interpretativo, che ha
come interpretante la fonia o la scrittura "alt" o il vigile con le braccia aperte
in posizione frontale, ecc. Ciò non toglie che anche il segnale possa essere
oggetto, in certi casi particolari, di interpretazioni diverse e presentarsi come
segno. Nel film *Tempi moderni*, la comicità del doppio senso è ottenuta facendo assumere alla bandiera rossa – segnale di pericolo –, caduta da un carro, un
significato diverso una volta che viene a trovarsi nelle mani di Charlot che, per
caso, cammina davanti a un corteo di scioperanti.

Il segnale può essere considerato come un rapporto interpretato-interpretante con basso livello di segnità. Viceversa, ogni segno è per certi aspetti un
segnale, contiene un certo margine di segnalità. Però nessuna delle caratteristiche dei segni in quanto segnali esaurisce il loro carattere di segni.

I segni verbali (orali o scritti) e non-verbali sono collegati fra di loro come
i nodi, i punti di incrocio, di una grande e fitta rete. E come i nodi di una rete,
svanirebbero se si eliminassero i tratti che li congiungono. Partendo da un
punto si possono scegliere vari percorsi, sicché per lo stesso punto sono legati
fra loro percorsi diversi. Questi percorsi, proprio come quelli di una rete stradale, sono già tracciati e abitualmente seguiti e in certi casi obbligati; ma è
possibile anche instaurare nuovi collegamenti, inoltrarsi per vie mai battute.

Di questa rete fanno parte stabilmente i segni verbali fonemici e grafici, ma ne può fare parte anche qualsiasi oggetto materiale e qualsiasi immagine mentale. Non ci sono oggetti materiali che non possono diventare segni. Ogni nostro pensiero, ogni nostro comportamento, intenzionale come l'esecuzione di un progetto, o inintenzionale, come il sognare, avviene nella rete dei segni, è preso in essa, è un itinerario che collega fra loro punti di incrocio più o meno vicini o lontani in questa rete. Anche i comportamenti naturali come il respirare e il digerire non si sottraggono alla possibilità di essere segni (il respiro affannato come segno dell'aver corso o come sintomo patologico per la semeiotica medica).

Anche i segni con il più basso grado di segnità, i quali perciò possono essere considerati come *segnali in senso stretto*, fanno pur sempre parte della rete dei segni e quindi sono soggetti a interpretazioni che innestano il percorso obbligato interpretato-interpretante, proprio del segnale, su percorsi non prefissati, aperti, cioè propriamente segnici.

L'interpretante di un segnale non è solo quello che ne permette l'identificazione: ogni volta che rispetto al segnale stradale di incrocio si formula l'interpretazione "quello è un segnale di incrocio", ci troviamo di fronte a un interpretante verbale che come tale non appartiene più al settore dei segnali ma ha un significato propriamente segnico: infatti è a sua volta interpretabile come una spiegazione, un avvertimento, un rimprovero, una notifica di infrazione, ecc.

Il significato di un segno non è qualcosa di circoscrivibile all'interno di un certo tipo di segni, per esempio quelli indicali (tracce, indizi, sintomi), e tanto meno all'interno di un *certo sistema di segni*, per esempio una determinata lingua naturale o un codice convenzionale, come quello stradale. *Il percorso interpretativo in cui il significato consiste non ha frontiere di ordine tipologico o sistemico*. E in questo senso, a rigor di termini, non sarebbe esatto parlare del "significato dei segni verbali" oppure del "significato dei segni non verbali", come se alla costituzione del significato potesse partecipare un solo tipo di segni. *In realtà ogni volta che qualcosa ha significato non c'è tipo di segno che possa essere escluso dal percorso interpretativo in cui tale qualcosa si colloca.* Possiamo allora dire che il significato è un fatto *semiotico*, poiché coinvolge ogni volta che sussiste tutti i tipi di segno: possiamo senz'altro distinguere tra segni verbali e segni non verbali, ma non ci sono, propriamente parlando, *significati verbali* e *significati non-verbali*, perché il significato non sta *dentro al segno* interpretato, ma dentro alla rete dei segni.

Per quanto caratterizzato dalla plurivocità, anche il segno verbale contiene un margine di segnalità. I segni verbali sono, *per certi aspetti*, anch'essi segnali, cioè presentano anch'essi, *da un certo punto di vista*, un rapporto di univocità fra interpretato e interpretante.

Consideriamo una qualsiasi fonia. Il livello più basso della sua interpretazione, a partire dal quale essa si caratterizza come segno verbale, è quello della sua identificazione, del suo riconoscimento. La fonia è interpretata come la *tale* fonia. Questa seconda fonia che funge da interpretante della prima nel senso che l'identifica, cioè ne determina la configurazione e ne permette il riconoscimento, ha con la prima un rapporto assai basso di differenziazione, di alterità. Anzi, in confronto alla distanza che intercorre fra una fonia e il suo interpretante allorché quest'ultimo ne è o la definizione o il commento o la derivazione logica conclusiva, si potrebbe considerare il rapporto fra interpretato e interpretante, nel caso della individuazione, identificazione, della fonia, come rapporto di identità. In realtà l'interpretante che identifica una fonia è *la fonia meno tutto ciò che non è pertinente* (timbro, tono, velocità, altezza della voce) *per l'identificazione della fonia.*

Un rapporto di tipo segnaletico fra interpretante e interpretato è presente nel segno verbale non solo al livello fonemico e grafemico. Lo troviamo anche nella *identificazione* di una espressione per ciò che concerne il suo *valore semantico* e nella *identificazione* di un determinato *costrutto sintattico.*

Possiamo chiamare *interpretante di identificazione* sia 1) l'interpretante che permette il riconoscimento di un segnale verbale nella sua configurazione fonemica o grafica; sia 2) quello che ne individua la conformazione morfologica e sintattica; sia infine 3) quello che ne individua il valore semantico.

Dunque anche a livello dell'interpretazione fonologica e sintattica si pone un problema di *significato*, vale a dire di rapporto fra interpretato e interpretante.

Abbiamo chiamato l'interpretante relativo al segnale e alla segnalità (presente in tutti i segni) *interpretante di identificazione*. Invece l'interpretante specifico del segno, quello che interpreta il segno, ossia il significato propriamente segnico, è l'*interpretante di comprensione rispondente.*

L'interpretante di comprensione rispondente dell'enunciato "in questa stanza fa troppo caldo" è qualsiasi atteggiamento che consegua a tale enunciazione, da quello che consiste nel far finta di niente e di ignorare l'interpretato, alla proposta di uscire, all'azione di aprire la finestra, alla negazione di quanto l'enunciazione afferma, alla ripetizione dell'enunciazione per esprimere consenso, o per trasmettere a un altro ciò che è stato detto, o per instaurare un rapporto di tipo fàtico (di contatto: si parla per avviare o mantenere o verificare il collegamento con l'interlocutore), nel caso in cui l'enunciazione sia interpretata come invito a iniziare una conversazione. L'azione di aprire la finestra e l'invito "si tolga pure il cappotto" sono interpretanti di "in questa stanza fa molto caldo". E la stessa ripetizione "in questa stanza fa molto caldo" è anch'essa un interpretante di comprensione rispondente, visto che instaura con l'interpretato un rapporto di consenso o un rapporto di tipo fàtico oppure intende fargli il verso, o riportarlo, ecc.

Già nell'esempio di questo caso semplice, si comprende che gli interpretanti di comprensione rispondente di uno stesso interpretato sono molteplici e non possono essere predeterminati da un codice come avviene per gli interpretanti di identificazione. Un numero indeterminato di percorsi interpretativi si diparte da uno stesso interpretato, e la plurivocità e l'ambiguità del segno qui si manifestano nella loro ampiezza. L'interpretante di comprensione rispondente arrischia una risposta nei confronti dell'interpretato e, se certamente è in qualche maniera aiutato dal contesto per il fatto che questo delimita le possibilità interpretative, è pur sempre esso ad "avere l'ultima parola", a "decidere", ad assumersi interamente la responsabilità della propria scelta. Del resto lo stesso contesto, compreso il cosiddetto contesto situazionale, è esso stesso fatto di segni, e dunque non è qualcosa di dato fuori dall'interpretazione, ma è anch'esso individuato e delimitato dall'interpretazione.

Nelle prime fasi di apprendimento di una lingua straniera, il continuo ricorso alla lingua materna è inevitabile: è tramite i segni di quest'ultima che decifriamo i segni della prima, ed anche nell'esprimerci facciamo un lavoro di traduzione dalla lingua primaria. A mano a mano che ci impadroniamo della lingua straniera, la mediazione della lingua materna diviene sempre meno necessaria, fino a non essere più richiesta: l'espressione e la comprensione avvengono direttamente; comunichiamo e comprendiamo senza dover uscire dalla nuova lingua

Come mostra Bachtin (particolarmente in Vološinov 1929) il segno contiene anche il fattore della segnalità e il suo correlato, il fattore dell'autoidentità, ma non si riduce ad essi. La comprensione di un segno, a differenza del segnale, non consiste solo nel riconoscimento di elementi costanti, che si ripetono sempre uguali a se stessi. Il segno è caratterizzato dalla duttilità semantica ed ideologica, che lo rende adattabile a contesti sempre nuovi e diversi. Segnalità e autoidentità sono superate dalle caratteristiche specifiche del segno: la sua variabilità, ambivalenza, plurivocità (v., in Vološinov 1929, la differenza fra "segno" e "segnale").

> Nella lingua materna del parlante, cioè per la coscienza linguistica di un membro di una particolare comunità linguistica, *l'identificazione del segnale è senz'altro cancellata in modo dialettico.* Nel processo di uno studio di una lingua straniera, invece, la segnalità e l'identificazione si fanno ancora sentire, per così dire, e devono essere superate, non essendo divenuta la lingua ancora pienamente lingua. *L'ideale della padronanza di una lingua è che la segnalità si risolva in pura segnità e l'identificazione in pura comprensione* (ivi, trad. it., p. 135, corsivo nostro).

In questo senso il segno è unità dialettica di autoidentità e di alterità. Il senso attuale di un segno consiste in un qualcosa in più che si aggiunge agli elementi che ne permettono la riconoscibilità, è fatto di quegli aspetti semantico-ideologici che sono in un certo senso unici, che hanno qualcosa di peculiare e di indissolubilmente collegato con il contesto situazionale della *semiosi*.

"Semiosi" è il processo in cui qualcosa funziona come segno. Ogni interpretato, ossia ogni segno, è tale relativamente a un percorso interpretativo, per il quale ha un significato, ma ciò non vuol dire che ciò che è interpretato si esaurisca in tale interpretazione e in tale significato. Il segno si trova sempre in un crocevia di percorsi interpretativi. Ciò costituisce la *materialità semiotica* di ciò che è segno verbale o non verbale. In altri termini, la materialità semiotica è la possibilità dei segni di entrare in più percorsi interpretativi.

Chiamiamo *significante* il residuo semiotico non interpretato del segno. Esso ha un'alterità irriducibile rispetto al percorso interpretativo "x", perché si colloca anche nel percorso interpretativo "y"; ma ha pure un'alterità irriducibile rispetto a quest'ultimo percorso, perché si colloca anche nel percorso interpretativo "z", e così via. Così inteso, il significante non è in un rapporto di scambio eguale con il significato; esso è invece proprio l'in più – un dare senza contropartita – rispetto a un determinato significato.

16

Chiamiamo *spostamento* il margine più o meno ampio di fuoriuscita, di distanziamento, del significante rispetto al percorso interpretativo. Vi sono segni che, in quanto prodotti come già incanalati in determinati percorsi interpretativi – per esempio, segni propri di un ruolo professionale o parentale e aventi un preciso obiettivo, come dare un comando, dare un'informazione, ecc. – hanno poco margine di spostamento. E segni che invece hanno una maggiore capacità di spostamento perché fanno parte di pratiche espressive caratterizzate proprio dall'autonomia e dall'alterità del *significante*, per esempio i testi letterari (v. oltre, la seconda parte).

Possiamo chiamare *significazione* il modo di essere dei segni con livello minimo di spostamento, e *significanza* quello dei segni in cui lo spostamento e quindi l'autonomia del significante sono particolarmente consistenti.

Ogni enunciazione, vale a dire ogni concreta realizzazione verbale, può essere distinta in due parti che sono rispettivamente relative all'interpretante di comprensione rispondente e all'interpretante di identificazione: si tratta, dunque, della sua parte che è ascrivibile alla segnità e di quella che è ascrivibile alla segnalità.

Chiamiamo *enunciato* il significato dell'enunciazione connesso con l'interpretante di comprensione rispondente. In altri termini, l'enunciato di un'enunciazione consiste nel livello superiore, segnico, del significato dell'enunciazione.

Chiamiamo *frase,* o complesso di frasi, il significato dell'enunciazione connesso con l'interpretante di identificazione. In altri termini, la frase, o complesso di frasi, è il livello inferiore, astratto, del significato dell'enunciazione.

Possiamo intendere per *testo* l'intreccio di interpretanti verbali e non verbali di cui vive l'enunciazione, e distinguere fra un testo verbale, fatto di sole enunciazioni, e un testo verbale e non verbale, in cui intervengono comportamenti leggibili, rispetto all'enunciazione, come segni e interpretanti non verbali.

Il concetto di testo (*textus*, intreccio) richiama l'immagine della rete a cui abbiamo fatto ricorso sopra per spiegare il significato come percorso interpretativo. Un testo è una porzione della rete. Fuori dal testo l'enunciazione non è più tale, diviene frase isolata.

Il contesto è l'intorno di una determinata porzione di rete, cioè del testo, in cui si trovano gli interpretanti e gli interpretati a cui il testo rinvia e che per-

17

mette di scorgere altre porzioni di percorsi interpretativi e di cogliere nuovi interpretanti. Ma non è detto che un testo debba avere i suoi interpretanti e interpretati solo nelle immediate vicinanze (*contesto prossimo*): il testo può ricevere significato da un settore lontano della rete dei segni (*contesto remoto*), con il quale dunque esso non presenta un rapporto di tipo indicale o per lo meno non in modo immediatamente visibile. In tal caso parleremo di *intertestualità*. Ciò che momentaneamente è fuori dalla rete dei segni è, rispetto al testo, *extratestuale*. Non appena si fa riferimento ad esso come interpretante o interpretato del testo, non si può più parlare di "extratestuale"; l'extratestualità è divenuta *contestualità* o *intertestualità*.

L'identificazione è una condizione necessaria per la comprensione dell'enunciazione, e la frase rappresenta l'enunciazione in questa fase primaria di interpretazione. Lo studio della frase, l'allenamento alla sua identificazione, al riconoscimento delle sue parti, l'analisi della sua costruzione, sono dunque necessarie alla comprensione dell'enunciazione, ma non sono sufficienti. Inoltre non devono perdere di vista il loro carattere funzionale alla comprensione dell'enunciazione. Un'educazione all'identificazione linguistica, basata cioè sul riconoscimento corretto delle frasi, che non sia collegata con la comprensione di enunciazioni e testi, diventa qualcosa di arido e noioso, che difficilmente può ottenere l'attenzione e la partecipazione del soggetto a cui è rivolta, in quanto essa perde la propria unica motivazione, cioè la comprensione, sia che sia praticata sulla lingua viva, materna o straniera, sia su una lingua morta (che, per essere appresa, ha bisogno anch'essa di essere collegata all'interesse per la comprensione delle enunciazioni e dei testi in cui ancora si conserva).

Nel capire un'enunciazione, l'identificare e il comprendere costituiscono un tutt'uno, ed è al miglioramento di questo tutto unitario che l'isolamento dell'operazione dell'identificare e lo studio, ad esso corrispondente, della frase devono mirare. L'identificazione è preliminare rispetto alla comprensione. Se non ho capito che cosa esattamente è stato pronunciato o che cosa esattamente è stato scritto, se vi sono cause soggettive (limiti di conoscenza di una data lingua, di un determinato lessico, ecc.) o cause oggettive (rumore, grafia poco chiara, stampa illeggibile, ecc.) che impediscono la decifrazione e la decodificazione, non posso comprendere il senso. Ma l'identificazione è preliminare solo in senso astratto. In concreto, l'identificazione non precede la comprensione ma avviene di pari passo con essa. Comprendo in un certo modo, perché identifico, decifro, decodifico in un certo modo: ma anche identifico, decifro, decodifico in un certo modo, perché comprendo in un certo modo. L'identificazione linguistica avviene sulla base di determinate aspettative e queste aspettative dipendono dalla comprensione. L'identificazione linguistica, come ogni identificazione percettiva, avviene nell'ambito di complessi processi cognitivi che comportano la capacità di anticipare, di indovinare, di prevenire, di realizzare inferenze di tipo abduttivo (cioè congetture capaci di inventiva e innovazione) e non solo di tipo induttivo e deduttivo. Se sembra ovvio che capire le frasi sia preliminare per comprendere le enunciazioni e i testi, bisogna che divenga altrettanto ovvio che comprendere enunciazioni e testi è preliminare per capire le frasi, per identificare, riconoscere, decodificare, disambiguare. I due processi, quello della identificazione e quello della comprensione linguistica, sono strettamente intrecciati e si sostengono mutualmente.

Di questo intrico l'insegnamento linguistico deve nessariamente tener conto, e sopratutto non perdere di vista il suo compito di essere educazione alla comprensione di enunciazioni e testi, evitando di privilegiare e considerare esclusivo il momento della identificazione e della frase. Tale privilegiamento è certamente dovuto alla dominanza del carattere artificiale, convenzionale della comunicazione scolastica, che con difficoltà trova contesti e motivazioni per lo sviluppo di una effettiva comprensione rispondente. Ma dipende anche dal perdurare delle concezioni linguistiche che, a livello teorico e applicato, non solo privilegiano la frase, ma giungono a farne l'unico interesse dell'analisi linguistica.

Consideriamo un'enunciazione orale come "Prenderemo il treno delle tre". La sua comprensione richiede preliminarmente la sua identificazione, il suo riconoscimento. L'identificazione è prima di tutto identificazione della fonia, riconoscimento del suono ascoltato che viene interpretato come la *tale* fonia di lingua italiana. Questa seconda fonia (espressa o solo pensata, una "immagine acustica") che funge da interpretante della prima, nel senso che la identifica, cioè ne determina la configurazione e ne permette l'identificazione, è il risultato di un processo di astrazione nei confronti di tutto ciò che, rispetto alla funzione identificativa che l'interpretante deve svolgere, non è *pertinente*: non è pertinente che la fonia sia prodotta dalla voce di un uomo o di una donna o di un bambino, sia pronunziata a voce alta o sia bisbigliata, sia detta lentamente, scandendola in sillabe o pronunziata velocemente (v. Lepschy 1966). Infatti, se essa viene ripetuta da un altro parlante, per esempio nella domanda "Hai detto: 'Prenderemo il treno delle tre', vero?", fra la prima fonia detta, poniamo, da una donna, e la seconda, detta da un uomo, c'è identità solo per astrazione da tutta una serie di differenze, per le quali "Prenderemo il treno in tre", o "Prenderemo in treno un te", pronunciate dalla stessa donna somigliano più alla fonia in questione rispetto a quella che la identifica. Sulla base di questa *astrazione* da tutto ciò che non ha una *funzione distintiva* per l'individuazione della fonia e che perciò non è *pertinente*, si realizza l'interpretante di identificazione della fonia. Possiamo indicarlo come *interpretante di identificazione fonologico*. La fonia pronunziata da una donna, a bassa voce e velocemente, e la stessa fonia pronunziata da un uomo, a voce alta e lentamente, somigliano, e possono essere interpretanti di identificazione l'una dell'altra, solo in base alla riconducibilità alla stessa astrazione comune, che è il loro interpretante fonologico.

La stessa cosa avviene quando invece di un'enunciazione orale, si tratta di un'enunciazione scritta. Anche in questo caso entra in gioco un processo di astrazione, sulla base del quale si realizza un interpretante di identificazione grafologico o grafemico, che permette di identificare "Prenderemo il treno delle tre", con "PRENDEREMO IL TRENO DELLE TRE" e con *"Prenderemo il treno delle tre"*, considerandoli interpretanti di identificazione l'uno dell'altro.

Come abbiamo già accennato, anche a questo livello di identificazione, non possiamo dire che abbiamo a che fare solo con l'*identificazione* della fonia, perché essa avviene nel processo complessivo della *comprensione* dell'enunciazione. La comprensione dell'enunciazione dipende dall'identificazione, ma anche viceversa: perché l'identificazione avviene sulla base di determinate aspettative e queste aspettative dipendono dalla comprensione. Se capisco che hai detto "treno" e non "freno", è perché la comprensione complessiva dell'intera enunciazione esclude la seconda possibilità. E se invece di "prenderemo", capisco "perderemo" è sempre perché il contesto dell'enunciazione suggerisce, tollera, anche questa interpretazione. Isolatamente dal contesto verbale, la fonia "treno", avrebbe bisogno dello "spelling" per essere identificata, come avviene nei cognomi. Anche nel decifrare in un messaggio scritto a penna questa parola, abbiamo meno difficoltà di quanto non sia se fosse scritta da sola. Oppure, come avviene nelle bozze, se è scritto, a causa di un refuso, "freno", invece di "treno", succede che l'errore non viene visto e leggiamo egualmente "treno" perché il senso dell'enunciato lo suggerisce. Ciò potrebbe far dire che la comprensione di una parola avviene nella frase. Ma anche l'identificazione della frase avviene nel contesto della comprensione dell'enunciazione complessiva, sulla base di determinate aspettative, perché altrimenti la fonia che stiamo usando come esempio, divenuta frase isolata, potrebbe dare luogo, a sua volta, ad equivoci ed avere gli interpretanti fonologici più strani (ma sono "strani" sempre rispetto a un contesto), venendo scambiata, poniamo, per "Renderemo il freno a te", oppure potrebbe semplicemente accadere, come di solito avviene in questi casi, che per essere identificata avrebbe bisogno di essere pronunziata più di una volta e lentamente. Quando diciamo che l'identificazione fonologica avviene in rapporto alla comprensione dell'enunciazione stiamo dicendo anche che essa avviene in rapporto al testo dell'enunciazione (visto che l'enunciazione che non sia testo o sua parte cessa di essere tale e si riduce a frase) e in rapporto al suo contesto non solo verbale, ma anche segnico-situazionale, verbale e non verbale, cioè nel rapporto intertestuale in cui il testo vive. Ciò vale anche per l'interpretazione dell'enunciazione scritta, che non sia frase, cioè che non sia enunciazione di nessuno e rivolta a nessuno, fuori dal testo e dall'intertestualità.

Ciò significa che se, da una parte, l'interpretante di identificazione di una fonia (o di una grafia, di una enunciazione scritta) è il risultato di un processo di astrazione nei confronti di tutto ciò che, rispetto ad essa, non è pertinente (abbiamo visto che nel caso della fonia, per esempio, non sono pertinenti chi produce la fonia e come la produce e il contesto in cui la produce), d'altra parte l'identificazione è agevolata proprio dalla presenza di ciò che è eccedente rispetto ai suoi tratti pertinenti. Ciò che non è significativo per l'interpretante di identificazione fonologico (come il timbro, il tono, l'altezza della voce, che sia il tale o il tal altro a produrla e la situazione in cui sia prodotta), o per l'interpretante di identificazione del segno grafico, entra tuttavia a far parte del processo attraverso il quale l'identificazione di fatto è resa possibile, ed è proprio esso che contribuisce alla disambiguazione.

L'interpretazione in funzione dell'identificazione dell'enunciazione riguarda non solo l'aspetto fonemico e grafemico. La ritroviamo anche nell'identificazione di un'espressione a livello del suo *costrutto sintattico* e del suo *valore semantico*.

"Prenderemo il treno delle tre", presenta la stessa composizione logico-sintattica di "Vedremo lo spettacolo delle nove", "Leggeremo il giornale di venerdì", e può essere identificata sintatticamente se si ha dimestichezza con enunciazioni come queste, le quali fungono da interpretante. Anche qui interviene un processo di astrazione. Infatti ciò che accomuna le tre enunciazioni e le rende interpretanti l'una dell'altra, è la somiglianza nella struttura e della funzione logico-sintattica che il parlante riconosce in tutte e tre, come riconosce la struttura e la funzione di martello in tre oggetti che per il materiale di cui sono fatti e per altre caratteristiche sono completamente diversi. Chiamiamo l'interpretante che permette il riconoscimento della struttura logico-sintattica *interpretante di identificazione del costrutto sintattico*. Anche in questo caso, l'identificazione rende possibile la comprensione ma al tempo stesso ne dipende. Si tenta un'ipotesi di interpretazione sintattica e la si verifica sulla base del contesto complessivo dell'enunciazione. Per questo un'enunciazione è generalmente meno ambigua sintatticamente di una frase isolata. Per esempio "La paura dei nemici è grande" come frase è ambigua; come enunciazione, nel suo testo e contesto, riceve, a seconda dei casi, un solo interpretante logico-sintattico, che conferisce a "dei nemici" o il valore di genitivo soggettivo, o il valore di genitivo oggettivo. La stessa cosa accade con "Quel cane di Paolo non si fa più vedere", che ha come interpretante o "Paolo è un cane e non si fa più vedere" o "Paolo ha un cane, che non si fa più vedere". Dalla comprensione dell'enunciato dipende il fatto se l'interpretante di identificazione di "prenderemo" può anche essere "prendiamo" (imperativo), o "noi due (chi parla e chi ascolta, o noi due e altri, o noi altri rispetto a chi ascolta) prenderemo", o "io (il noi è un plurale maiestatis) prenderò". In un lavoro di traduzione risulta bene che l'interpretante di identificazione sintattica dipende spesso dalla comprensione dell'enunciato. "Mario ha dato a Maria la sua borsa" non è traducibile in inglese se prima non sappiamo di chi è la borsa.

L'identificazione del valore semantico dell'enunciazione "Prenderemo il treno delle tre" è data da interpretanti come "Il treno che parte alle tre sarà preso da noi", "Viaggeremo sul treno che parte alle ore 3.00", "Saliremo sul treno in partenza alle tre", "Prenderemo il diretto delle tre", ecc. In tutti questi casi abbiamo a che fare con ciò che possiamo chiamare *interpretante di identificazione del valore semantico dell'enunciazione*. Anche nel caso dell'identificazione del valore semantico, l'interpretante di identificazione non si decide in rapporto alla frase astratta, ma in rapporto all'enunciazione concreta: è possibile stabilire se "Tu e io prenderemo il treno delle 15.00", è o no un interpretante di identificazione del contenuto semantico, non in base alla frase ma in base all'enunciato, cioè in base all'interpretazione dell'enunciazione concreta.

Come si vede, a differenza di quanto sostiene la grammatica generativo-trasformazionale di Chomsky, una "frase" non è "generata", cioè caratterizzata, identificata, da strutture sottostanti. Non è necessario ricorrere a "strutture profonde" che specifichino e disambiguino le "strutture superficiali", a frasi originarie, a "frasi nucleari". L'interpretante di una frase non è "una struttura profonda fondata su sequenze elementari sottostanti" (Chomsky), ma un interpretante di identificazione (fonologico/grafologico; sintattico, semantico), che difficilmente può esplicitare il suo ruolo restando sul piano della frase, ma deve spostarla e spostarsi su quello dell'enunciato, specificando e disambiguando la frase nell'ambito dell'enunciazione. L'interpretante di identificazione di un'enunciazione non è nulla di elementare e di sottostante. Esso è semplicemente un'altra enunciazione che resta inespressa. Per es.: "Ho detto questo: "Prenderemo il treno delle tre" (ma, come abbiamo detto, questa seconda è un interpretante di identificazione della fonia solo per astrazione, in realtà, così espressa è un'altra enunciazione che, per esempio, rispetto alla prima può risultare più forte e perentoria); oppure: "Sintatticamente questa enunciazione equivale a "Prendiamo noi due il treno che parte alle 3 p. m." (in cui però è già implicato l'interpretante semantico dell'enunciazione, oppure: "Intendo questo: "Ti ordino di partire con me con l'intercity da Milano per Roma oggi stesso alle 15.00" (ma qui è gia implicato l'interpretante pragmatico, di cui parleremo fra poco). L'interpretante di identificazione resta inespresso, sottinteso, finché non ci sono le condizioni che esigano la sua espressione, la sua esplicitazione (le condizioni più varie, comprese quelle relative alla situazione scolastica di insegnamento della lingua o di accertamento della comprensione del testo). L'interpretante di identificazione di un'enunciazione orale può essere un'enunciazione scritta o viceversa; oppure può fare ricorso a segni non verbali, un disegno per esempio (come nei libri figurati per bambini che imparano a leggere), alla sua rappresentazione iconica schematizzata, a grafi. Il fatto che il rapporto fra ciò che fa da interpretato e ciò che fa da interpretante può essere invertito, e l'enunciazione interpretata dal segno non ver-

23

bale può diventare la sua didascalia, sta ad indicare che interpretato e interpretante si pongono sullo stesso piano, e non su due livelli (superficiale e profondo) diversi. I grafi ad albero di Chomsky non sono altro che interpretanti di questo genere, e, ridimensionati rispetto alla loro pretesa di rappresentare strutture profonde (e innate e universali), sono utili tanto quanto altre possibili rappresentazioni grafiche del processo di identificazione-comprensione dell'enunciazione.

Da dove prendiamo gli interpretanti di identificazione? Li prendiamo dall'esperienza comunicativa e, nelle fasi iniziali dell'apprendimento linguistico, dal parlare altrui. A mano a mano che acquista padronanza della lingua, il parlante rivede e precisa gli interpretanti di identificazione sia alla luce dell'interpretazione del parlare altrui, sia in base alla riuscita, sullo stesso piano, dei propri intenti comunicativi. L'interpretante di identificazione è il risultato di processi di astrazione necessari all'intesa comunicativa, grazie ai quali i parlanti sono in grado di riconoscere ciò che permane come "lo stesso" e che perciò permette loro un'intesa di base di parlanti della "stessa" lingua.

Questo processo di astrazione che consente di identificare i segni verbali, non è nulla di diverso da quello che permette l'identificazione di ogni altra cosa come segno. Se non avvenissero processi di astrazione nei confronti degli oggetti, situazioni, azioni, stati psicologici, ecc., che diventano in tal modo segni, non potremmo impiegare i segni verbali per significare ed esprimere "cose", perché esse non potrebbero essere i loro interpretati e i loro interpretanti. L'enunciazione concretamente espressa "Questo è un quaderno", non presuppone soltanto i processi di astrazione sul piano linguistico che permettono gli interpretanti di identificazione sopra considerati; presuppone processi di astrazione nei confronti dell'oggetto, che anche se non sia stato già visto prima, viene identificato, come "quaderno", cioè reso "interpretato" della parola "quaderno", e dunque utilizzabile, a sua volta, come interpretante di questa parola. La condizione fondamentale per l'uso della fonia "quaderno" come segno è che essa non sia riferibile soltanto a *questo* quaderno particolare che adesso mostro come suo interpretato-interpretante, ma a *qualsiasi quaderno*. cioè non solo quello che adesso fa da interpretato-interpretante di "questo è un quaderno". Ciò che al ragazzo selvaggio dell'Aveyron (v. Moravia 1984) riusciva difficile comprendere, malgrado gli sforzi del suo maestro Itard, era che i nomi degli oggetti che gli erano stati insegnati non andavano applicati soltanto agli oggetti che gli erano stati mostrati, ma anche ad altri oggetti: vale a dire, non riusciva a comprendere che il bastone che gli veniva mostrato stava per qualsiasi bastone, *non era qualcosa a cui si applicava un segno, ma era esso stesso segno.* E ciò è possibile se l'oggetto stesso è sottoposto a un processo di astrazione. Dunque l'intera nostra esperienza, e non solo quella linguistica, presuppone la capacità di riconoscere, sulla base di astrazioni, ciò che permane nelle differenze, che si ripete, permettendo l'identificazione; anzi, il segno verbale e la capacità di astrazione a livello linguistico, che esso implica, fanno parte di una più ampia *capacità semiotica* per cui gli oggetti stessi diventano segni. Ciò ha evidenti implicazioni sul piano dell'insegnamento linguistico, soprattutto quando esso sia orientato dalla consapevolezza della strettissima connessione fra linguaggio verbale e processi cognitivi. La possibilità di percepire identità, analogie e differenze fra le cose dipende dall'esistenza – in concomitanza con le esigenze di determinati ambienti di vita – di parole che interpretino le cose come identiche o come differenti.

Quello che inoltre è importante rilevare, ai fini dell'insegnamento linguistico, è che, pure al livello della identificazione fonologica o grafologica, e della identificazione logico-sintattica, cioè al livello dell'identificazione *formale*, come fase distinta da quella contenutistica, si pone pur sempre un problema di *significato*, perché si pone pur sempre un problema di *interpretazione*. Oltre alla semantica in senso stretto, ordinario, distinta dalla fonologia e dalla sintassi, vi è dunque una *semantica comprensiva della stessa fonologia e della stessa sintassi*. Il comportamento verbale è un atto interpretativo e, come tale, ha a che fare sempre, e non solo al "livello semantico", con questioni di significato. La "creatività linguistica", che Chomsky non riesce a spiegare se non con il ricorso a una grammatica universale innata, consiste nella produzione di interpretanti. Chomsky nega il carattere interpretativo del componente sintattico della competenza linguistica, relegando l'interpretazione al solo componente fonologico e al componente (del valore) semantico. Così facendo, distingue il *generare* (che riguarda il rapporto fra strutture superficiali e strutture profonde e le regole di trasformazione) dall'*interpretare*. Il privilegiamento della sintassi da parte di Chomsky fino a farne un fondamento infondato, un a priori innatisticamente inteso, consiste nel sottrarla all'interpretazione, nel considerarla esente da rapporti interpretato-interpretante. Tali rapporti, invece, riguardano tutti livelli del segnico in generale. La capacità di disambiguazione, che Chomsky attribuisce a "strutture profonde", consiste nella funzione generativa di interpretanti che non sono previsti nel sistema linguistico della lingua, ma che derivano dalla comprensione dell'enunciazione nel suo contesto verbale e situazionale, nei suoi rapporti di traduzione endosemiotica e intersemiotica.

Abbiamo parlato dell'interpretante di identificazione soprattutto facendo riferimento al capire. Ma esso non interviene soltanto nella comprensione dell'enunciazione (orale o scritta), ma anche nella sua formulazione. Perciò possiamo dire che esso *genera*, nel senso chomskiano, l'enunciazione (sia sul piano della produzione, sia su quello della comprensione). Infatti l'interpretante di identificazione entra in gioco già nell'impiego del segno verbale da parte del parlante o dello scrivente. Chi parla o chi scrive organizza il materiale fonico o grafico *in base all'interpretante di identificazione*, sia riguardo all'aspetto fonemico e grafemico, sia riguardo a quello sintattico e semantico. L'"emittente", oltre a tutti gli altri obiettivi che può avere nel processo comunicativo, è intenzionalmente rivolto a rendere significativo il materiale fonico o grafico sotto tutti e tre gli aspetti; vale a dire a renderlo riconoscibile, in base alla ripetizione di ciò che gli conferisce distintività e pertinenza fonologica, sintattica e semantica. Già dal parlante e dallo scrivente, dunque, il segno verbale è concepito come ripetizione del suo interpretante di identificazione, il quale avrà così una funzione strumentale ai fini della comprensione.

Abbiamo dunque distinto tre interpretanti di identificazione del segno verbale: a) quello che permette il riconoscimento di un segno verbale nella sua configurazione fonemica e grafemica; b) quello che lo identifica nel suo valore semantico; e c) quello che ne individua la conformazione logico-sintattica. Abbiamo anche visto la difficoltà di separare identificazione e comprensione, frase ed enunciato all'interno dell'enunciazione.

Ciò si evidenzia maggiormente quando si prende in esame l'*interpretante pragmatico* dell'enunciazione, il quale per un verso potrebbe essere considerato un interpretante di identificazione, in quanto identifica la funzione determinata che ha un'enunciazione come *atto illocutivo* (affermare, chiedere, ordinare, promettere, rifiutare, offrire, ecc.), o come *atto perlocutivo* (dichiarare, proclamare, nominare, battezzare, condannare); per un altro verso esso è *interpretante di comprensione rispondente*, in quanto non riguarda frasi, ma "atti linguistici", e non presuppone un'astratta "competenza linguistica", ma una concreta "competenza comunicativa". Possiamo dire di un comando che è stato capito non semplicemente quando se ne è identificata la funzione illocutiva, ma quando si risponde ad esso e si prende posizione nei suoi confronti. Inoltre, come abbiamo accennato sopra, è anche molto difficile considerare separatamente dall'interpretante pragmatico di identificazione fonologico, quello logico-sintattico e quello del valore semantico. "Scusi... per la stazione..." o "Sa l'ora?", possono essere capite sul piano sintattico, semantico e anche su quello semplicemente fonologico, se situate in un contesto, in rapporto a un certo parlante, hanno una certa intonazione, ci si aspetta richieste di questo tipo; e viceversa sono così formulate in funzione di una certa risposta e nell'ambito di un certo contesto.

La comprensione del significato di un'enunciazione non riguarda soltanto la dimensione semantica (v. la critica di Rossi-Landi – 1994: 68-69 – alla separazione delle tre dimensioni individuate da Charles Morris (sintattica, semantica e pragmatica), ma tutte le dimensioni per le quali un certa produzione fonica o grafica diventa enunciazione, concreto segno verbale. La condizione di ciò è che essa possa avere un interpretante di comprensione rispondente. La stessa identificazione di una frase isolata come il nostro esempio "Prenderemo il treno delle tre" – il suo riconoscimento fonologico, quello che essa ha un ordine sintattico e quello del valore semantico – si decidono sulla base del criterio di immaginarla come enunciazione verificandone la possibilità di un contesto (sicché abbia certi interpretati, certi referenti, un certo destinatario, determinati sottintesi, un certo genere discorsuale, un certo fine, una certa intonazione) in modo da avere un interpretante di comprensione rispondente.

Ciò che viene indicato, nello studio del linguaggio verbale, come "Pragmatica" ("la pragmatica studia gli usi comunicativi reali, cioè le modalità concrete con le quali si realizza la comunicazione" (v. Sobrero 1993) e per ragioni espositive considerato per ultimo, nei manuali, dopo la trattazione di fonetica e fonologia, ritmo e intonazione, morfologia e sintassi, lessico e semantica, strutture testuali e retoriche (v. Sobrero 1993a, I), è ciò che si occupa proprio dell'interpretante di comprensione rispondente, che è la condizione necessaria per la quale il segno verbale sia tale. Perciò solo per astrazione la pragmatica costituisce un settore separato dallo studio del segno verbale, del quale ogni reale comprensione globale è attivamente responsiva. Nella grammatica generativo-trasformazionale di Chomsky non c'è nessun riferimento a ciò che abbiamo chiamato interpretante di comprensione rispondente e quindi alla pragmatica. Di conseguenza tale teoria linguistica ha a che fare con frasi che si sforza di identificare nella genesi e nella conformazione (generale) prescindendo dall'interpretare – sia pure l'interpretare come identificazione separabile solo per motivi di analisi dall'interpretare comprensivo e responsivo – e facendo ricorso a strutture profonde e regole di una grammatica universale innata.

Dunque ogni enunciazione (orale o scritta) in quanto cellula viva del discorso contrapposta alla frase, cellula morta della lingua, necessita dell'interpretante di identificazione e dell'interpretante di comprensione rispondente, i quali sono tra loro strettamente connessi e interdipendenti. Se l'interpretante fonologico, sintattico e semantico possono essere, per motivi di analisi, situati dalla parte dell'interpretante di identicazione, è difficile considerare l'interpretante pragmatico soltanto come interpretante di identificazione, perché è esso a conferire all'enunciazione un carattere attivamente responsivo.

Che ogni enunciazione abbia un carattere attivamente responsivo, sia nella comprensione sia nella stessa formulazione, perché è risposta a un altro segno verbale o non verbale e si aspetta una risposta, risulta evidente in spezzoni di discorso quotidiano isolati come frasi (quelli che la "pragmatica" e lo studio degli "atti linguistici" assumono come oggetto), come: "Bravo! Bell'esempio!" (che ha bisogno dell'intonazione per essere interpretato come ironico o sarcastico); "Ce l'ha fatta finalmente!" o "Questa sera esco con lei" (che richiedono riferimenti precisi e specifici al contesto e la comprensione di sottintesi); "Scusi, ha una sigaretta?" (che, dato il contesto, viene facilmente intesa come richiesta indiretta, e nessuno risponderebbe – se non, poniamo, per fare dello spirito –: "E a lei che interessa?" o "Sì, e ne ho più di una, grazie!"); "Fra noi è tutto finito" che per essere un atto perlocutivo (e anche perché se ne determini la forza perlocutiva) e non una semplice informazione, richiede un determinato contesto, determinati interlocutori, un loro determinato rapporto, ecc.

Ma la costitutiva presenza dell'interpretante di comprensione rispondente è ritrovabile anche in enunciazioni scritte o orali che fuoriescono dallo scambio comunicativo dei generi discorsuali quotidiani. Per esempio, un romanzo nel suo complesso è anch'esso un'enunciazione allo stesso titolo di una lettera privata, anche se si tratta di una enunciazione complessa la cui comprensione ha un carattere attivamente comprensivo complesso. Vi sono enunciazioni fatte per una comprensione attivamente comprensiva, che si realizza con un'altra enunciazione, ed enunciazioni (per esempio, un comando, esplicito o indiretto) in cui l'interpretante di comprensione rispondente può consistere in un'azione non verbale. Ma vi sono anche generi discorsuali in cui la comprensione attivamente responsiva può restare una comprensione responsiva tacita. Alcuni generi di discorso, dice Bachtin (*Il problema dei generi di discorso*, 1952-53, in Bachtin 1979, trad. it.: 255), in particolare quelli letterari, hanno appunto come fine soltanto questa comprensione,

> ma si tratta, per così dire, di una comprensione responsiva ad azione ritardata: prima o poi, ciò che è stato sentito e attivamente compreso riecheggia nei discorsi successivi o nel comportamento dell'uditore. I generi della comunicazione culturale complessa, per lo più, hanno come fine proprio questa comprensione attivamente responsiva ad azione ritardata.

2.
Enunciazione, testo e genere discorsuale

L'enunciazione va considerata in rapporto a due parametri rispetto ai quali essa si configura e si specifica nella comunicazione reale: cioè il *testo* e il *genere discorsuale*.

Chiariamo in primo luogo il significato di "enunciazione", riprendendo e sviluppando quanto è stato già accennato sopra.

L'enunciazione, come realizzazione linguistica, si presenta sotto due aspetti o livelli: quello della unitarietà e irripetibilità che riguarda il senso che essa assume in un determinato contesto linguistico e situazionale, e quello della sua scomponibilità in parti ripetibili, ricorrenti anche in altre enunciazioni. Il primo livello è quello della *frase* o complesso di frasi, cioè il livello delle entità astratte della lingua. Il secondo è il livello dell'*enunciato*, in cui si esprime il senso particolare dell'enunciazione nella sua concretezza espressiva. L'enunciato è ciò che non è scomponibile dell'enunciazione, la quale invece può anche essere scomposta in entità astratte, le frasi, le parole (i monemi, più esattamente), i fonemi. L'enunciazione è il processo di produzione di enunciati. L'enunciato (non scomponibile) di un'enunciazione (nella sua interezza) è il limite superiore del senso dell'enunciazione stessa ed è connesso ad un determinato genere discorsuale, al testo e a situazioni extraverbali. La frase, o il complesso di frasi, è il limite inferiore e astratto dell'enunciazione (è il livello del decomponibile, degli *elementi* linguistici, mentre l'enunciato si colloca sul piano dell'*unitarietà linguistica,* dell'*interezza segnica*). Il processo dell'enunciazione è la realizzazione di un enunciato mediante elementi linguistici astratti (le frasi).

Mentre il significato della frase, dell'enunciazione astratta, è un interpretante di identificazione, l'interpretante dell'enunciato, vale a dire dell'enunciazione concreta, viva, è un interpretante di comprensione rispondente (v. capitolo precedente).

Il processo di realizzazione dell'enunciazione è un processo dialogico. L'enunciazione isolata è una contraddizione in termini. L'enunciazione vive nel rapporto con altre enunciazioni. Essa è sempre responsiva. Deve la sua forma e il suo contenuto al suo riferimento ad altre enunciazioni: altre enunciazioni che riprende, riproduce, imita, parodia, assume come convalida, critica, rifiuta; altre enunciazioni che previene o a cui risponde, ecc. Essa inoltre è sempre rivolta ad un destinatario, il che significa a enunciazioni che fungono rispetto ad essa da interpretante. L'enunciazione richiede, richiama un'altra enunciazione che le conferisce significato, che realizza il suo riempimento di senso, che è l'oggetto della sua intenzionalità comunicativa.

L' enunciazione è sempre *di* qualcuno e *per* qualcuno: essa vuole una risposta. Questa risposta travalica i limiti del verbale. Essa è sollecitata e sollecita comportamenti che non sono solo di tipo verbale: essa vive anche nell'intreccio di atti comunicativi extra-verbali che possono essere letti come segni che la interpretano o come segni che essa interpreta. L'interpretante di un'enunciazione ("fa freddo", per esempio) può essere un'altra enunciazione ("puoi chiudere la finestra, se vuoi" o "accendi il termosifone"), oppure può essere un'azione non verbale (l'atto di chiudere la finestra da parte dell'interlocutore, o di accendere il termosifone), che soddisfa l'intenzionalità comunicativa dell'enunciazione. Tutto questo può essere sintetizzato dicendo che *l'enunciazione vive nel gioco di interpretanti verbali e non verbali, in quanto è sollecitata come interpretante e sollecita interpretanti.*

Quando si considera l'enunciazione non isolatamente dall'intreccio delle enunciazioni, si supera l'astrazione dell'enunciazione isolata, ma ci si muove tuttavia pur sempre su un livello astratto perché si prescinde dall'intreccio dell'enunciazione con i segni non verbali che essa interpreta e che ne sono gli interpretanti. Abbiamo visto (v. sopra, capitolo precedente) che precisando meglio il concetto di "testo", possiamo intenderlo come l'intreccio di interpretanti di cui vive l'enunciazione, e distinguere fra un testo *verbale,* fatto di sole enunciazioni, e un testo *verbale e non verbale,* in cui intervengono comportamenti costituiti, rispetto all'enunciazione, da segni e interpretanti non verbali.

Fuori dal testo, l'enunciazione non è più tale, essa diviene frase isolata o complesso di frasi, che non sono di nessuno e che non sono rivolte a nessuno, e come tali sono prive di intenzionalità comunicativa e nulla dicono sulla propria specificità relativamente a ciò di cui si fanno interpretante e a ciò di cui richiedono un interpretante. La testualità è dunque uno dei parametri dell'enunciazione ed è ciò che diversifica l'enunciazione dalla frase.

Il testo come gioco di enunciazioni è anche gioco di posizioni: ogni enunciazione è sempre posizionata, si rivolge da una posizione a un'altra posizione, ed enuncia quindi, con la sua stessa forma oltre che con i suoi contenuti, la posizione da cui si parla e quella a cui ci si rivolge. In questo senso il testo è sempre *orientato*: ci sono percorsi a senso unico, orientamenti dell'enunciare che non possono essere invertiti; e per ciò stesso, il testo non si dispone su di un unico piano; esso è stratificato, presenta dislivelli, scarti. L'enunciazione dice in primo luogo della posizione propria e di quella delle enunciazioni, o dei comportamenti non verbali, che essa intenziona come interpretanti.

Oltre all'asse della testualità, l'altro asse secondo cui si realizza e specifica l'enunciazione è il *genere discorsuale* .

Alla contrapposizione enunciazione/frase e a quella interlocutore/decodificatore si aggiunge conseguentemente la contrapposizione codice/genere discorsuale, oppure linguaggio speciale/genere discorsuale.

I generi discorsuali sottendono ogni atto di produzione linguistica condizionandolo sul piano del contenuto e della forma. Vi sono generi discorsuali del linguaggio "ordinario", generi letterari, generi "alti", generi "bassi" e generi del linguaggio scientifico. Ciò che rientra in un genere discorsuale non è l'entità linguistica astratta, come ad esempio la frase, ma la parola viva, l'enunciazione.

Parafrasando Bachtin, che si riferisce specificamente al genere letterario, si può dire che il genere è sempre questo e altro, è sempre nuovo e diverso contemporaneamente. Il genere rinasce e si rinnova a ogni nuova tappa di sviluppo della produzione linguistica, in ogni realizzazione individuale di quel dato genere (v. Bachtin 1963, trad. it.: 139). Il genere discorsuale è un sistema significante specifico, relativo a un determinato tipo di pratica significante, un modello del mondo, un modello ideologico. Come sistemi significanti che corrispondono a tipi di pratiche significanti, i generi discorsuali sono espressione di particolari modalità di coscienza sociale linguistica, oggettivamente fissate nelle disponibilità espressive e ricettive della lingua. Il genere può, in altri termini, essere considerato come insieme di metodi di orientamento collettivo nella realtà, una maniera di vedere la realtà che si sviluppa nella comunicazione sociale: "la realtà di un genere e la realtà accessibile a quel genere sono organicamente legate fra di loro" (Medvedev 1928 trad. it.: 292). Possiamo estendere al genere discorsuale in generale ciò che Corti dice del genere letterario:

> La scelta di un genere è già scelta di un certo modello interpretativo della realtà, sul piano sia tematico sia formale. Ogni genere porta le sue restrizioni nel cogliere il reale e il verosimile, ha una funzione selettiva e provocatoria, i suoi codici non sono mai neutrali, sono, per così dire, invenzioni umane di lunga durata che avviano il messaggio, in quanto tale, in una certa direzione (Corti 1976: 153).

Proprio perché realizzantisi nelle enunciazioni, non è al livello del *type,* cioè sul piano delle classificazioni e delle tipologie, ma del *token,* cioè nell'ambito della pratica verbale concreta, che i generi discorsuali entrano in gioco. Tuttavia bisogna precisare che, pur non avendo un'esistenza fuori dalle concrete manifestazioni linguistiche, i generi discorsuali sono delle entità astratte che condizionano gli atti linguistici e che trovano realizzazione nei concreti processi comunicativi di cui sono al tempo stesso la sedimentazione, il prodotto, e da cui sono condizionati. Il genere discorsuale è il *type* di cui un certo discorso è il *token.* I generi discorsuali sono astrazioni con valore determinante rispetto all'enunciazione, e sono astrazioni *reali,* cioè non prodotte al livello della riflessione, a tavolino, ma *concretamente* operanti nella produzione linguistica.

Il testo *è* i suoi interpretanti. Un testo è un segno complesso, più complesso di quanto non lo sia un discorso o un'enunciazione. Un testo è un'unità più comprensiva, rispetto alle unità enunciative e discorsuali. Un testo è composto di enunciazioni e di discorsi; il che non significa che esso ne sia la somma, è invece un'unità, un tutto unitario, qualitativamente diverso dalle sue componenti, alla stessa maniera in cui un discorso, pur essendo fatto di enunciazioni, è un tutto unitario qualitativamente diverso dall'enunciazione. Possiamo dunque disporre nell'ordine che va dal più semplice al più complesso l'*enunciazione*, il *discorso*, il *testo.*

Un testo non si esaurisce nelle enunciazioni interne, vale a dire quelle che appartengono a un autore, a un enunciatore. Esso è fatto anche delle enunciazioni degli interlocutori, degli enunciatari, che lo interpretano, che lo ascoltano, che lo leggono, perché il suo significato si decide proprio in questo rapporto dialogico fra il discorso proprio e il discorso altrui. Un testo è l'insieme *aperto* delle battute dialogiche, quelle del parlante, dell'autore, e quelle dell'interlocutore, del lettore: queste ultime non sono meno interne al testo di quanto non lo siano quelle che formano il discorso dell'autore: la produzione e la riproduzione del significato del testo si realizza secondo la sua costitutiva struttura dialogica. Solo per convenzione e per motivi di analisi possiamo chiamare "interne" le enunciazioni del testo che appartengono al discorso d'autore ed "esterne" quelle dell'interlocutore, dell'interprete.

In quale rapporto sta il termine, "interprete", con quello chiarito all'inizio (nel capitolo precedente), "interpretante"? L'"interprete" è colui che comprende, che legge, che dà significato al discorso d'autore, attraverso le sue parole esplicite o implicite che siano: posso farmi interprete di un discorso spiegandolo, commentandolo, rispondendogli, comportandomi in una certa maniera rispetto ad esso, ecc. Le interpretazioni di un discorso possono essere tanto comportamenti verbali, cioè altre enunciazioni, altri discorsi, quanto comportamenti non verbali: così come il parlante è inseparabile dalle sue enunciazioni e così come l'autore è una funzione interna all'enunciazione, alla stessa maniera l'interprete è inseparabile dai suoi comportamenti segnici, verbali e non verbali, che fungono da interpretanti. L'interprete è un complesso di interpretanti.

Se limitiamo l'analisi al testo verbale, ed inoltre al testo verbale scritto, come faremo in questo capitolo, possiamo distinguere gli interpretanti in interpretanti interni al discorso d'autore e interpretanti esterni ad esso, quelli che appartengono al discorso dell'interprete. L'educazione alla lettura del testo deve tener conto di questa duplice presenza degli interpretanti nel testo: una presenza nel discorso dell'autore oltre che nel discorso dell'interprete. In base alla convenzione suddetta possiamo chiamare interni gli interpretanti del primo tipo ed esterni quelli del secondo tipo. Si badi bene: interpretanti interni ed esterni *del* testo e non interpretanti esterni o interni *al* testo, perché esso, come si è detto, è fatto di entrambi.

Un interpretante interno del testo è il *genere letterario* oppure, in senso lato, il genere discorsuale cui appartiene: un primo elemento che contribuisce alla costituzione del significato del testo è il fatto che esso sia un romanzo, oppure l'articolo di un quotidiano o di una rivista scientifica, una lettera, ecc. "Questo libro è un romanzo": la parola "romanzo" ha qui la funzione di interpretante del testo, ed essa si trova spesso in copertina, sotto al titolo dei libri di questo genere letterario. L'interpretante è qui dato dall'autore all'interprete; esso quindi entra in gioco quando il testo è considerato dal punto di vista dell'interprete. Ma in realtà, il genere discorsuale non è un interpretante solo per l'interprete, ma anche per l'autore; esso è al tempo stesso dato *dall'autore e all'autore*. Infatti esso evidentemente non entra in gioco soltanto ad opera conclusa, ma condiziona fin dall'inizio, sia sul piano dei contenuti sia su quello della forma, il discorso dell'autore. Il genere comporta una determinata organizzazione del discorso, comporta un determinato tipo di discorso. Esprimersi con un genere è come esprimersi con una determinata lingua: nell'un caso come nell'altro, dal mezzo di espressione dipende la possibilità di comunicare non solo ad altri, ma anche a se stessi, determinati contenuti. Ogni genere discorsuale è un particolare modo di sentire oltre che di comunicare. In questo senso, esso è un interpretante per lo stesso autore: esso rende significativo in una certa maniera ciò che l'autore vuol dire e che fuori dal genere è qualcosa di confuso e di indistinto (di "pre-verbale"). L'autore fa un lavoro di traduzione: un certo messaggio, determinate esperienze, una certa visione ideologica, vissuti che hanno trovato espressione in altri segni vengono detti con il linguaggio del genere letterario. E come ogni vera traduzione, anche questa non è nulla di meccanico, ma è riorganizzazione, interpretazione creativa, è traduzione/tradimento (traduttore/traditore). Il genere interpreta l'autore, lo parla, lo dice in una certa maniera, e dice qualcosa di più di ciò che egli intenzionalmente vuol dire; l'autore non solo si traduce ma anche si tradisce tramite la parola del genere letterario (v. oltre, II.3).

Un altro interpretante interno del testo che, insieme al genere, si offre in maniera immediata è, nel caso del testo narrativo o del saggio o dell'articolo di giornale, il *titolo* stesso: esso traduce in maniera fortemente sintetica il discorso dell'autore e si offre al lettore come primaria proposta di interpretazione, come originaria chiave interpretativa del testo. Ugualmente visibile in maniera immediata è l'interpretante fornito dal sommario, *dall'indice*, itinerario possibile della lettura, ma anche itinerario e organizzazione della scrittura.

Questi sono alcuni degli interpretanti interni appariscenti. Se ne potrebbero menzionare degli altri, quali le note esplicative dell'autore (per esempio "uso il termine 'x' nel senso di ..."; "'lingua' vale qui nell'accezione saussuriana", ecc.). Oltre ad essi, vi sono interpretanti interni meno appariscenti e che sono inseparabili dal testo stesso. In un *saggio scientifico,* tutto lo svolgimento del discorso ha la funzione di interpretante rispetto a certe enunciazioni iniziali, a certe tesi, che vengono spiegate, sostenute, confrontate con eventuali obiezioni, ecc. La gran parte di questi interpretanti costitutivi della forma (per esempio, la stessa divisione in paragrafi) e del contenuto del testo d'autore sono relativi al rapporto autore/destinatario, e quanto più l'autore tiene conto del punto di vista del destinatario, tanto più numerosi sono gli interpretanti che egli mette in campo nel costruire il proprio discorso.

Nel *testo narrativo*, la *fabula* si sviluppa offrendo interpretanti (si pensi al "giallo") che nel loro susseguirsi ne determinano a poco a poco la conclusione. L'*intreccio* è il concatenamento degli interpretanti, ne è il montaggio, che con varie funzioni discorsuali (descrizioni, digressioni) rallenta e ritarda la chiusura della catena degli interpretanti. Si realizza così un gioco comunicativo fra autore e destinatario, in cui il testo d'autore scopre e cela i propri interpretanti interni, dice e non dice, allude e rivela.

Oltre a questi interpretanti interni che modalizzano il rapporto autore-destinatario, ve ne sono altri che invece riguardano il discorso riportato – nell'articolo di giornale o nel saggio scientifico, la citazione; nel testo narrativo, il discorso del personaggio, ecc. – in forma di discorso diretto, indiretto, indiretto libero, e delle loro varianti, come il discorso diretto sostituito, diretto disseminato, ecc. Nel saggio scientifico fra citazione e discorso d'autore si stabilisce un rapporto fra interpretanti: il discorso d'autore espone, commenta, interpreta, critica il discorso citato, oppure la citazione serve a chiarire, a completare, a sottolineare il significato del discorso dell'autore. E tutto questo in un rapporto triangolare costituito dal discorso dell'autore, da quello citato e da quello del destinatario con cui l'autore dialoga attraverso la mediazione della citazione.

Nel testo narrativo il gioco degli interpretanti interni organizzato in funzione del destinatario si complica: il discorso d'autore è interpretante del discorso dei personaggi e, viceversa, quest'ultimo penetra nel discorso d'autore e ne determina la forma e il significato. Inoltre l'autore non parla direttamente, parla attraverso la voce del narratore. Il discorso d'autore è tradotto nella voce dei personaggi, nella voce narrante. Anche qui traduzione-fedeltà e traduzione-tradimento: il discorso d'autore si frantuma, o si cela, o si dissolve nei discorsi (interpretanti) del narratore e dei personaggi. La stessa specificità del discorso indiretto rispetto a quello diretto, specificità che consiste nella sua capacità analitica, nella funzione analizzatrice del discorso altrui, può essere indicata nella sua maggiore disponibilità a fungere da discorso interpretante.

Fra gli interpretanti del discorso d'autore vanno indicati anche quelli che rinviano fuori dal testo, che lo collegano a un contesto culturale, attuale o remoto, e ad altri testi, che esso imita, critica, riprende, parodia. Come interpretante che rinvia a un complesso contesto culturale, a una tradizione storico-sociale, non solo letteraria, il testo si fa interprete, direttamente o indirettamente, consapevolmente o inconsapevolmente, di segni verbali e non verbali, e, viceversa, rinvia ad essi come suoi interpretanti.

Non sempre l'autore è consapevole degli interpretanti che egli pone nel proprio discorso. Egli fornisce interpretanti anche in maniera inintenzionale: interpretanti che il lettore può individuare, e che quindi appartengono al discorso dell'interprete, ma la cui traccia si trova nel discorso dell'autore. Non vi sono linee nette di demarcazione fra ciò che è intenzionale e ciò che è inintenzionale, fra ciò che è fortuito e ciò che è predisposto negli interpretanti presenti nel discorso d'autore, né vi è una linea netta di demarcazione fra interpretanti dati dall'autore e interpretanti dati dall'interprete.

Saussure studioso degli "anagrammi" fu preso dal timore di non aver trovato altro, nei versi studiati, che ciò che egli stesso vi aveva posto. L'anagramma: fatto fortuito o una regola effettivamente seguita dall'autore?

> L'errore di Saussure – osserva Starobinski – è quello di aver così nettamente posto l'alternativa fra "effetto del caso" e "procedimento cosciente". Ma perché non mettere da parte tanto il caso, quanto la coscienza? Perché non vedere nell'anagramma un aspetto del processo della parola — processo né puramente fortuito né pienamente cosciente? (Starobinski 1971: 154).

I testi che rompono i confini del proprio tempo e vivono oltre la propria contemporaneità, nel "tempo grande", nel senso di Bachtin (1970), si arricchiscono di nuovi significati, di nuovi sensi.

> Possiamo dire che né Shakespeare né i suoi contemporanei conoscevano il "grande Shakespeare" che noi conosciamo oggi. Forse che noi attribuiamo alle opere di Shakespeare ciò che in esse non c'è, lo modernizziamo, lo snaturiamo? Modernizzazioni e travisamenti naturalmente ci sono stati e ci saranno; ma non è grazie ad essi che Shakespeare è cresciuto. È cresciuto in forza

di ciò che effettivamente c'era e c'è nelle sue opere, ma che né egli stesso né i suoi contemporanei potevano con piena coscienza cogliere e valutare nel contesto della cultura della loro epoca. I fenomeni semantici possono esistere anche in forma nascosta, potenziale, e rivelarsi soltanto nei contesti culturali-semantici delle epoche successive, favorevoli a questa rivelazione (Bachtin 1970; trad. it. 1980: 19).

La *materialità del testo* non è tale soltanto rispetto all'interprete. Come ogni processo comunicativo, il testo si realizza come materia semiotica, non solo nel senso che offre resistenza all'interprete, presentandogli una sua autonomia, una sua significazione che non dipende da lui e che, in certi casi, gli sfugge: il testo ha una sua materialità, una oggettività, una indipendenza , una capacità di resistenza e di autosignificazione *anche rispetto all'autore*. Il linguaggio (compreso il linguaggio dei generi letterari) che l'autore impiega oppone resistenza allo stesso autore, gli prende la mano, dice anche ciò che egli non ha stabilito di dire.

La costituzione del testo non è diversa dalla costituzione dell'identità individuale, la quale è anch'essa un processo e si realizza nel rapporto di alterità. L'identità individuale è un gioco di differimenti, ma non diversa è la vita di un testo, soprattutto di un testo che vive nel "tempo grande" (Bachtin). Il testo, in quanto segno, si cerca nei segni; la sua identità rinvia all'alterità segnica. Segni altri: non solo l'alterità del testo rispetto al lettore, all'interprete, ma anche rispetto allo stesso autore, che è egli stesso, come ciascuno di noi, altro rispetto a se stesso, egli stesso testo, egli stesso interpretante di segni precedenti.

La materialità del testo è la "materialità semiotica", la quale, come abbiamo visto, apre la *significazione* nel senso della *significanza*, di cui abbiamo già parlato (v. capitolo 1). Il testo ha una sua irriducibile autonomia rispetto al significato che l'interprete vi attribuisce. E ciò vale sia che si tratti dell'interprete che "legge" il testo, il "lettore", sia dell'interprete che lo "produce", l'"autore": il testo dice di un senso altro da quello conferito dall'io in quanto suo interprete, ed ha perciò una sua oggettività, una sua materialità, una capacità di resistenza rispetto alla coscienza interpretante, significante. È questa alterità del segno a determinare, a decidere i limiti dell'interpretazione, sia dalla parte dell'"autore", sia dalla parte del "lettore". Il problema che assilla Eco (1990), quello appunto dei "limiti" dell'"interpretazione", in rapporto al quale riconsidera la questione dell'"opera aperta" (Eco 1962) e del ruolo del lettore, "lector in fabula" (1979), non è risolvibile ricorrendo agli argini dell'"abito", della convenzione sociale, come fa Eco. I limiti dell'interpretazione sono dati dalla oggettività, materialità, autonomia del testo, e cioè dalla sua alterità rispetto all'io interpretante, sia questi il "lettore", oppure chi lo produce, l'"enunciatore", l'"autore" in persona con tutta la sua autorità. Il problema dei limiti dell'interpretazione è strettamente collegato con quello dell'alterità e della dialogicità del segno, e non può essere affrontato separatamente da esso.

Il movimento interpretativo, anche se avviene secondo percorsi già tracciati e abitualmente seguiti e quindi come ripetizione, è caratterizzato dal protendersi – nel passaggio dall'interpretato all'interpretante – verso qualcosa di altro, di diverso. L'interpretante è tale in quanto non ripete l'interpretato ma aggiunge qualcosa di nuovo: fra interpretato e interpretante non può esservi – anche ai livelli più bassi di interpretazione – un mero rapporto di eguaglianza, di assenza di differenze, di totale equivalenza, di sostituzione di identico a identico. Anche quando l'interpretante si limita alla identificazione, al riconoscimento dell'interpretato (il tale oggetto che viene riconosciuto come "un quaderno"; la tale fonia o la tale grafia che viene identificata come la fonia o la grafia "quaderno") e anche quando ci troviamo ai livelli più bassi di interpretazione (per esempio la lettura di un testo scritto come esecuzione fonica, o come recitazione), l'interpretante si diversifica dall'interpretato, non lo ripete, lo sposta verso una qualche direzione, arrischia un'opinione, offre di più di quanto l'interpretato non dia. Perciò il rapporto fra interpretato e interpretante è un *rapporto di alterità*: l'interpretante è sempre qualcosa d'altro, di diverso, rispetto all'interpretato, e più l'interpretazione va al di là della semplice identificazione dell'interpretato, e diviene comprensione rispondente, più il rapporto segnico assume il carattere di un *rapporto dialogico*.

L'interpretante risponde a una "questione" posta dall'interpretato, prende posizione nei suoi confronti. Interpretato e interpretante sono la *domanda* e la *risposta* di un dialogo, che è *interno al segno*, dal momento che il rapporto interpretato/interpretante è costitutivo della segnità. Ogni processo interpretativo per il quale qualcosa svolge il ruolo di segno può essere analizzato in termini di "parti", di battute, di un dialogo, i cui dialoganti sono *il dato da interpretare* e *l'interpretante*. Dall'interpretazione che avviene al livello della percezione all'interpretazione critica di un testo scritto, ogni segno si presenta come costitutivamente dialogico, dato che esso si realizza in un rapporto di alterità con l'interpretante, senza il quale non sarebbe possibile nessun conferimento di senso. La logica dell'interpretazione si presenta dunque come *dialogica*.

La comprensione di un testo scritto, data la sua complessità, maggiore o minore in rapporto a diversi fattori (lunghezza, registro, livello di conoscenza della lingua, ecc.) richiede un relativo durevole mantenimento dell'attenzione, che a sua volta dipende, evidentemente, dall'interesse. La lettura di un testo può partire solo da un preliminare interesse e può durare solo sulla base del mantenimento (che ne richiede anche la crescita) di tale interesse. Per chi insegna a leggere testi, compito preliminare è quello di promuovere l'interesse per il testo da leggere, e far sì che esso perduri se si vuole che la lettura continui. Che un testo sia da leggere significa che è interessante: questo è ovvio, ma non sempre di questa ovvietà si tiene conto a scuola, dove la lettura finisce con l'essere imposta autoritariamente, e il testo perde ogni altro interesse che non sia quello di materiale delle "interrogazioni" (in senso scolastico, appunto).

Un elemento importante nella lettura di un testo è la *creazione di aspettative*. Lo stesso autore del testo si preoccupa di crearne, prevedendo, anticipando, prevenendo le reazioni del lettore. Ciò vale per l'autore di qualsiasi testo, da quello scientifico, al testo poetico, al romanzo giallo. Non soltanto dentro al discorso quale si va delineando a mano a mano che si avanza nella lettura del testo, sia esso dimostrativo o descrittivo o narrativo, vengono a crearsi delle aspettative, ma ciò accade anche alle "soglie" (Genette) del testo, cioè in base a quelli che (v. sopra, in questo stesso capitolo), abbiamo chiamato gli "interpretanti interni" del testo. Senza la creazione di aspettative non sono possibili la sorpresa, la curiosità, l'ipotesi, la verifica, la convalida, che sono fattori inerenti alla lettura tanto di un testo scientifico, quanto di un articolo giornalistico, quanto di un testo narrativo stesso. Ma le attese sono la condizione della stessa valutazione del testo. Senza di esse non sarebbe possibile l'apprezzamento del testo: solo sulla base di determinate attese, che gli stessi interpretanti interni del testo provocano, sono possibili la disponibilità a occuparsi del testo, la disillusione o la valutazione positiva, la critica e la soddisfazione delle esigenze che ne hanno promosso la lettura.

Nell'insegnamento della lettura del testo il compito principale è insegnare a crearsi delle aspettative. La generica promozione dell'interesse per il testo si concretizza e si specifica rispetto a un determinato testo nella creazione di

aspettative. Che cosa ti aspetti da questo testo? Questa è la domanda di partenza per la costituzione, da parte di chi insegna a leggere, di un rapporto fra il
testo e chi si vuole che ne sia il lettore; domanda di partenza, che però è una
domanda di arrivo, risultato di una contestualizzazione preliminare del testo,
di una preliminare interpretazione dei suoi "interpretanti interni". Perché possa avere inizio il "rapporto di lettura", che è cosa ben diversa da un meccanico,
formale, subìto incontro col testo, è necessario che il testo da leggere risulti
interessante prima ancora di essere letto. Con i testi scritti è come con le persone, che del resto sono esse stesse testi: l'interesse a conoscere una determinata persona e ad avere con essa un effettivo rapporto al di là di quelli formali,
obbligati, di circostanza, dipende molto dal fatto che quella persona risulti
"interessante" ancor prima di praticarla, a prescindere dal fatto che il rapporto
poi si realizzi o meno nel senso immaginato e che le aspettative risultino con-
fermate o deluse.

Insegnare a leggere può significare cose diverse: si può trattare della lettura come meccanica sonorizzazione o come meccanica "lettura espressiva", o
della lettura come capacità di ripetizione pedissequa, di ingestione del testo di
cui esaminare, nell'interrogazione, il grado di assimilazione di ciò che di esso
viene esposto; o si può trattare dell'insegnamento alla lettura come capacità di
riassumere, possibilmente "a parole proprie", o di sintetizzare, o di fare sche-
de ("prima di iniziare la stesura della tesi schedare [poverini! loro e chi li
scheda, e chi richiede la schedatura] tutti i libri della relativa bibliografia",
raccomandazione diffusa fra i relatori di tesi e presente anche nel famoso libro
di Eco *Come si fa una tesi di laurea*). In tutte queste modalità di lettura non si
va molto al di là dell'interpretazione-identificazione. La lettura vera e propria,
cioè un effettivo rapporto col testo, inizia quando nei suoi confronti si realizza
un atteggiamento di comprensione rispondente.

Un po' scherzando ma anche dicendo del vero nello scherzo, si potrebbe
dire che insegnare a leggere è promuovere la distrazione: "Ragazzi, mi racco-
mando, mentre leggete questo testo, ed anche quando io ne parlo, distraetevi,
pensate alle cose vostre". Se non si esce dal testo, se ci si concentra troppo su
di esso, se non lo si sposta per collocarlo in rapporto alle proprie esperienze,
desideri, immaginari, il dialogo in cui la lettura consiste non ha inizio. Tanto
più si è presi dalla lettura, quanto più ci capita, leggendo un libro, come dice
Roland Barthes (1984, trad. it.: 23), "di interrompere continuamente la lettura,

non per disinteresse ma al contrario per l'ininterrotto affluire di idee, stimoli e associazioni". Leggere veramente è "leggere alzando la testa", distraendosi per interesse.

Nell'esperienza scolastica, l'unico momento di riflessione metodologica concernente la lettura del testo è quello offerto dalla critica letteraria. Non è esagerato dire che l'unica metodologia della lettura è quella concernente i testi letterari e proveniente dalla critica letteraria. Ora, la critica opera, come osserva ancora Barthes, o con il microscopio (mettendo pazientemente in evidenza il dettaglio filologico, autobiografico o psicologico dell'opera) o con il telescopio (scrutando il grande spazio storico che circonda l'autore). Ebbene questa lettura della critica non ha nulla a che fare con quella che può stabilire un rapporto di personale interesse col testo, che può far sentire il testo vicino al lettore, al punto da divenire una lettura dialogica.

La lettura dialogica di un testo è la sua "riscrittura" ed è questa riscrittura la vita del testo, ciò che il testo richiede chiedendo di essere compreso. Il testo-lettura è riscrittura. La lettura è il testo che scriviamo in noi quando leggiamo. Essa procede secondo una logica che non è deduttiva, ma associativa; non incanala, ma "disperde, dissemina" (ivi: 24). Il testo da solo non esiste. Da solo sarebbe solo un insieme di frasi, di proposizioni. Esso esiste come testo-lettura, fatto di enunciazioni, che associa altre idee, altre immagini, altri significati.

Abbiamo parlato prima provocatoriamente di "invito alla distrazione". Barthes non accetterebbe questa espressione, e per evitare il fraintendimento che si voglia non rispettare la materialità, l'oggettività, l'alterità del testo, precisa che sarebbe meglio parlare di un rapporto ludico inteso come lavoro, un lavoro senza fatica, un lavoro interessante ed anche piacevole.

> Aprire il testo, costruire il sistema di lettura non significa perciò soltanto chiedere e mostrare che è possibile interpretarlo liberamente; significa soprattutto, e in modo più radicale, giungere a riconoscere che non esiste una verità oggettiva o soggettiva della lettura, ma soltanto una verità ludica; anche se poi il gioco non deve essere inteso come distrazione, bensì come lavoro – dal quale ogni fatica sarebbe tuttavia evaporata: leggere vuol dire far lavorare il nostro corpo (la psicoanalisi ci insegna che il corpo è ben più della nostra memoria e della nostra coscienza) in corrispondenza al richiamo dei segni del testo, di tutti i linguaggi che lo attraversano e che formano in un certo senso la profondità cangiante delle frasi (ivi: 25).

La lettura è un atteggiamento, una disposizione, una disposizione all'ascolto, una apertura all'alterità. C'è una componente *etica* nella lettura, e dunque nell'educazione alla lettura. *La lettura è accoglienza dell'alterità*. Da questo punto di vista, la distrazione è la disposizione a uscire dalla propria identità, ad uscire dall'identità del testo pre-scritto, reso oggetto, schedato, reificato, dal testo proprietà di un autore e della sua contemporaneità, andando incontro, senza preclusioni e pregiudizi, verso l'alterità del testo, tanto più quando, come accade nei testi letterari, questo movimento è l'unica cosa che il testo stesso richiede al lettore (v. oltre, II). L'insegnamento della lettura è un insegnamento etico. Saper comprendere l'altro e saper leggere un testo non sono due cose diverse. Leggere infatti è un verbo che si presta ad essere impiegato non solo nei confronti di quella "cosa" che è una pagina scritta. Possiamo dire che leggiamo testi, immagini, gesti, comportamenti; ma anche che leggiamo volti. Il volto ha un senso per sé, che non si lascia afferrare, e che non richiede nei suoi confronti conoscenze, ma risposte. Così il testo. Il fatto che il leggere testi scritti richieda l'apprendimento delle lettere, delle parole scritte, la conoscenza della lingua in cui è scritto, del linguaggio di genere e in certi casi informazioni sull'autore e sulle circostanze e sul contesto storico, insomma un apprendimento tecnico, non deve far perdere di vista che questa *techné* è soltanto strumentale e che non è il caso di restare concentrati in essa. In questo senso "bisogna distrarsi": concedersi alla dispersione di una lettura che realizzi un incontro effettivo fra lettore e testo, che renda possibile una comprensione rispondente.

Ciò dice dei limiti di una semiotica della lettura, di una scienza della lettura. Una metodologia della lettura ha implicazioni etiche che riguardano la disposizione all'alterità, all'ascolto, al coinvolgimento senza limiti con l'altro oltre la responsabilità specialistica, di ruolo, di competenza. Forse in questo senso può essere ripreso quanto Barthes (ivi: 37-38) osserva in questo passo:

> [...] Non si può ragionevolmente sperare in una Scienza della lettura, in una Semiologia della lettura, a meno di pensare che un giorno sia possibile – contraddizione in termini – una Scienza dell'Inesauribile, dello Spostamento infinito: la lettura è *proprio* quell'energia, quell'azione che coglie *quel certo* libro [...]; la lettura sarebbe insomma l'*emorragia* permanente, attraverso la quale la struttura – descritta con pazienza a profitto dall'Analisi strutturale – si sfalderebbe, si aprirebbe, si perderebbe, conforme in questo ad ogni siste-

ma logico, che, *in definitiva*, nulla può chiudere – lasciando intatto quel che non può essere chiamato il processo del soggetto e della storia: la lettura avverrebbe dove la struttura gira a vuoto e si perde.

3.
Il testo come ipertesto nell'insegnamento linguistico

Nell'accezione del linguaggio dell'informatica l'"ipertesto" è scrittura tramite calcolatore, che si organizza in maniera non lineare e che si può avvalere di segni diversi dai segni dell'alfabeto standardizzato. Qualunque "word processor", in quanto consente collegamenti diretti e istantanei fra parti distanti del testo e in quanto permette, sia nella scrittura sia nella lettura, il collegamento con documenti e testi di natura diversa, anche immagini e grafi, ecc., presenta le caratteristiche dell'ipertesto. L'ipertesto è il sistema, il metodo per il potenziamento, tramite computer, di una scrittura-lettura non lineare. Un sistema a ipertesto permette un'organizzazione non lineare del testo: ciò significa, sul piano della scrittura, la possibilità di "cucire" componenti dell'opera in una "rete"; e, sul piano della lettura, la possibilità di spostarsi liberamente, di "navigare", scegliendo fra le alternative offerte dall'ipertesto, un percorso nella rete. Per *ipertesto* si può intendere, metonimicamente, il tipo di testo prodotto tramite un metodo o sistema del genere, con particolare riferimento all'insegnamento della lettura del testo letterario.

Qui ci occuperemo delle implicazioni dell'ipertesto sul piano dell'insegnamento linguistico.

L'ipertesto è un *testo-lettura* (v. sopra, capitolo 2) in senso eminente, perché qui è privilegiato il lettore, in quanto questo testo è fatto per permettergli di scegliere fra più percorsi di lettura. Qui la lettura non si svolge in senso lineare, in senso unico, il "giusto senso", in base al quale, con la sua autorità, l'autore costringe il lettore a muoversi secondo l'ordine dell'esposizione e in funzione di ciò che l'autore ha voluto dire, impedendogli di avere uno spazio suo e di muoversi liberamente in funzione di ciò che, invece, la lettura gli provoca volta per volta come ininterrotto affluire di idee, stimoli e associazioni.

L'ipertesto si sottrae al modello deduttivo, secondo cui c'è un percorso da certe premesse a una determinata conclusione. Alla logica deduttiva subentra una logica associativa, che, come abbiamo visto nel capitolo 2, è la logica stessa della lettura come partecipazione attiva, come comprensione rispondente. Il rapporto tra interpretato e interpretante si stabilisce per associazioni basate sulla memoria personale del lettore e sulla deriva del suo ricordare, sul suo interesse, sulla sua curiosità, sulle sue esperienze, sulla sua abilità di "distrazione" (nel senso spiegato nel capitolo suddetto, come condizione di una comprensione rispondente), sicché il rinvio dal segno interpretato al segno interpretante non è deciso in maniera costrittiva, deduttiva appunto, come nel rapporto indicale. Esso, invece, procede per ipotesi, si basa sull'iniziativa e sull'inventiva del lettore, richiede inferenze di tipo prevalentemente abduttivo.

L'ipertesto risulta così ciò a cui una lettura dovrebbe tendere. Un'educazione alla lettura e alla comprensione del testo dovrebbe mirare a un testo-lettura che è un ipertesto. Ma questo tipo di lettura ci è ancora poco familiare, perché da secoli ci interessiamo nella lettura soprattutto di seguire l'autore, di pedinarlo senza mai perderlo di vista, con lo scopo di vedere da dove viene e dove si dirige, al punto che le sue stesse digressioni, divagazioni e soste ci spazientiscono.

Ci sono testi, scritti dallo stesso autore, per depistare il lettore e per lasciarlo libero di scegliere il suo percorso di lettura. "Certi autori", dice Barthes (1984, trad. it.: 24) "ci hanno avvertiti che eravamo liberi di leggere i loro testi a nostro piacimento e che tutto sommato si disinteressavano della nostra scelta (Valéry)". Barthes si riferisce in particolare a testi di scrittura letteraria, la cui lettura richiede una sorta di ri-scrittura.

Qui l'ipertestualità è una conseguenza del carattere eminentemente dialogico del testo letterario che si decide nel suo perdurare come caratterizzato da una inesauribile intertestualità, da una possibilità di spostamento del significante, che apre la significazione nella direzione della *significanza* (v. sopra, capitolo 1). Ma affinché questi testi possano essere riconosciuti ipertesti si richiede un'educazione alla lettura che la stessa critica letteraria ostacola, interessata com'è, generalmente, a quel che l'autore ha detto e ai motivi autobiografici, psicologici, ideologici, storico-sociali per cui l'ha detto.

Al di là dei contenuti, e anche delle modalità tecniche di utilizzazione dell'ipertesto all'interno della scuola e delle metodologie didattiche, a noi interessa qui l'apporto formativo che questo particolare mezzo intermediale, in quanto tale, sul piano formale comporta. Esso incrementa il carattere associativo e personale della lettura, stabilisce con il testo una modalità di movimento secondo più sensi, svincola la lettura dal testo scritto e la associa ad altri mezzi di scrittura che non si avvalgono del segno scritto, abitua a un rapporto dialogico col testo, che può avere effetti anche nella formazione di una abitudine alla lettura del testo scritto tradizionale, una lettura capace di crearsi percorsi differenziati, di "leggere alzando la testa", di "scrivere la lettura", come dice Roland Barthes.

La pratica dell'ipertesto informatico blocca finalmente l'interesse smisurato che da secoli si ha nei confronti dell'autore, abolisce il privilegio conferito alla fonte dell'opera (persona o contesto storico), interesse smisurato e privilegio che la critica letteraria – l'unica che fornisce nella scuola una metodologia di accostamento al testo – generalmente incoraggia. Nella pratica dell'ipertesto ciò che interessa è il testo e la molteplicità di itinerari secondo cui può essere letto. La censura nei confronti di una lettura non lineare, "disordinata", a salti, che si disperde e va alla deriva, cade in conseguenza del modo stesso in cui questo testo, caratterizzato dalla ipertestualità e multimedialità, è stato prodotto. Con la censura viene a cadere anche il rispetto dell'autorità, quella dell'autore, con cui di solito un testo è letto. Il testo-lettura qui prende il sopravvento sul testo pre-scritto. Anche perché l'ipertesto multimediale non è la parola di un autore, ma il risultato di una molteplicità di contributi, di competenze, di mezzi espressivi.

L'ipertesto multimediale affranca il testo-lettura in quanto tale, qualsiasi sia la funzione del testo. In questo senso, l'ipertesto multimediale realizza, se non nel senso che la compie per la prima volta, certamente nel senso che la istituzionalizza, la rivoluzione copernicana che sposta il centro dall'autore al lettore sollecitandolo per giunta non ad una *lettura-fruizione* ma ad una *lettura-scrittura*. Scrivere la lettura (indipendentemente, sia ben chiaro, dal ricorso al segno scritto, alla trascrizione): questa possibilità che l'ipertesto multimediale visibilizza dovrebbe essere additata, sul piano didattico, quale obiettivo di qualsiasi lettura intesa come comprensione rispondente, compresa quella del testo letterario. Al di là dei contenuti e del suo valore strumentale, il valore formativo di un ipertesto del genere sta nello sviluppo della capacità di produrre, da parte di chi legge, testi-lettura.

L'ipertesto è un *metodo* di ampliamento delle possibilità di realizzazione della *scrittura come procedura modellizzante* che caratterizza il *linguaggio* come capacità specie-specifica dell'uomo (v. il capitolo successivo). Si potrebbe dire che tale metodo è maggiormente vicino al modo di procedere del nostro pensiero, o che esso è un metodo per potenziare l'intelligenza umana. Ma in tal modo non abbiamo ancora detto nulla di preciso, se non caratterizziamo "pensiero" e "intelligenza umana" in termini di scrittura e di linguaggio. L'ipertesto, come il linguaggio, procede non in maniera lineare. Esso organizza connessioni fra parti distanti del suo "tessuto", collegamenti fra punti distanti della rete di interpretati-interpretanti di cui è fatto. La linearità è superata da una struttura reticolare. In questo senso è meno restrittivo, meno vincolante del testo scritto tradizionale, o meglio del modo tradizionale di scrivere e di leggere. L'ipertesto mostra che scrivere e leggere non è necessariamente scrivere e leggere in sequenza, incanalare il pensiero in una riga dopo l'altra, e secondo un ordine privilegiato, come ci hanno insegnano fin da piccoli.

L'ipertesto non è soltanto un *metodo*. A partire da esso è possibile delineare una *metodica*, con importanti implicazioni sull'insegnamento linguistico. Massimamente nella direzione dell'ipertesto si muovono i testi letterari. Ciò risulta particolarmente evidente se si pensa al *Tristram Shandy* di Sterne (è significativa sotto questo riguardo la pagina del *Tristram* dove sono tracciate diverse linee contorte come esempio di insubordinazione della scrittura letteraria alla scrittura lineare; v. Sterne 1983b: 430), al *Il giardino dei sentieri che si biforcano* di Borges, a *Il castello dei destini incrociati* di Calvino, ecc. Ma ciò non riguarda soltanto alcuni particolari testi narrativi. Generalmente un testo narrativo di tipo letterario interrompe la sequenza narrativa con le cosiddette digressioni, ritardando, rallentando il ritmo della narrazione con inserimenti di testi che "divagano" rispetto a quello della storia principale, oppure presenta i fatti in un ordine diverso, spesso inverso (nel romanzo giallo, per esempio) rispetto a quello lineare che va dall'inizio alla conclusione della storia (un lavoro di vero e proprio "montaggio"). La dialettica fra "fabula" e "intreccio", rilevata dai formalisti russi, dice della vocazione del testo letterario verso l'ipertesto. E che in tutto questo il lettore sia passivo, non è affatto vero: le sue attese, inferenze, la sua "comprensione rispondente", la sua stessa impazienza non sono solo calcolate, ma determinano la stessa organizzazione del testo, il suo stile, la sua sintassi: *lector in fabula*, come dice Eco. A seconda della prevalenza del carattere monologico o polilogico un romanzo presenta, suggerisce, sia pure nella sua "linearità", a gradi diversi "letture multiple".

A letture multiple si presta anche un testo poetico. La sua difficile traducibilità è un sintomo del carattere apparente della sua linearità: da uno stesso significante si dipartono percorsi interpretativi diversi, e perciò è spesso difficile trovare il significante corrispondente in un'altra lingua che abbia la stessa capacità di spostamento. Tradotto "Souvent" con cui inizia L'albatros di Baudelaire con "sovente" o "spesso", si perde inevitabilmente la possibilità del percorso interpretativo nella direzione di "sotto vento" (Prete 1994) (ma anche quella del collegamento con "souvenir") a cui nel suo risuonare dà luogo la parola francese.

Il rapporto (di cui direttamente ci occuperemo in II.3) fra scrittura e viaggio si presta a connessioni con il "navigare" che la scrittura dell'ipertesto consente. Inoltre l'ipertesto evidenzia il carattere interattivo della lettura, il suo necessario superamento della fase della identificazione, fino a diventare "comprensione rispondente", a diventare lettura-scrittura.

Con la sua struttura reticolare in luogo di quella lineare l'ipertesto come una fitta rete di interpretati-interpretanti, attraverso la quale sono possibili più percorsi di lettura, dice come funziona qualsiasi semiosi in cui si abbia a che fare non con semplici segnali ma con segni in senso pieno e a gradi diversi di segnità (v. I.1). Infatti ogni semiosi del genere è situata anch'essa in una fitta rete di segni, nella quale, come in una rete stradale, partendo da un punto di incrocio, è possibile percorrere tragitti diversissimi. Inoltre l'ipertesto ci fa intendere come il significato di un segno non sia altro che un possibile percorso interpretativo a seconda dell'interpretante attivato. Da questo punto di vista, un ipertesto è, in miniatura e in maniera limitata, la rappresentazione di ciò che è una situazione-segno a livelli normali di complessità. Nell'opera ipertestuale non c'è un ordine privilegiato, ma, "come in un tessuto, sono possibili innumerevoli percorsi lungo i fili da un punto all'altro" (Pandolfi e Vannini, 1994: 15). È sorprendente come questa stessa terminologia e metafore del genere abbiano già trovato impiego in semiotica per definire concetti come "segno", "significato", "semiosi", ecc. (v. sopra, I.1).

La "decentralizzazione" dell'ipertesto, il fatto che esso non abbia un centro fisso, ma sia un sistema infinitamente decentrabile e ricentrabile, può avere implicazioni sulla de-centralizzazione delle stesse attività cognitive come loro condizione per orientamenti aperti e non pregiudizialmente orientati. Ciò è massimamente richiesto nell'apprendimento di una lingua straniera. Ma la stessa comprensione, nella propria lingua, di un testo orale o scritto lo richiede. La capacità di decentralizzazione e ricentrazione diviene condizione formativa di una identità aperta all'alterità, capace di messa in discussione di automatismi e percorsi pragmatico-interpretativi abituali. Da questo punto di vista, la pratica dell'ipertesto abitua alla spostamento del segno e dunque alla capacità di messa in discussione dell'universo organizzato secondo determinati sistemi segnici, tra i quali la lingua di appartenenza in primo luogo.

4.
Oltre la funzione comunicativa della conoscenza della lingua straniera e il ruolo dell'insegnamento della letteratura

È inutile soffermarsi sull'importanza della conoscenza di una o più lingue straniere (nel Libro bianco *Insegnare e apprendere* della Commissione Europea si afferma la necessità della conoscenza, da parte dei comunitari, di almeno altre due lingue oltre la propria) per scopi comunicativi, in un mondo in cui la rete comunicativa, sotto ogni aspetto della comunicazione (di merci, energie, oggetti di consumo, strumenti di produzione, persone, messaggi, informazioni, ecc.) è estesa su tutto il pianeta. Conoscere più lingue, in funzione della comunicazione ormai mondializzata, diventa una necessità unanimemente riconosciuta. L'insegnamento delle lingue per scopi pratico-comunicativi fa esso stesso parte delle merci che la mondializzazione del mercato richiede e ingloba. La scuola e l'università non possono ignorare questa necessità.

Ma bisognerebbe chiedersi se lo studio delle lingue straniere non debba avere qualche scopo diverso da quelli pratico-comunicativi concernenti la conoscenza dei linguaggi pratico-quotidiani, per i quali esistono sempre più istituti privati specializzati in tal senso, o concernenti la conoscenza della lingua straniera in settori specializzati (commerciale, o di una determinata branca professionale o scientifica) a cui, per esempio, può essere soprattutto rivolto l'insegnamento delle lingue in una facoltà universitaria come Economia o Science, ecc.

Ma il discorso che qui ci interessa svolgere non riguarda soltanto gli studi universitari e le Facoltà di lingue. L'introduzione dell'insegnamento della lingua straniera nella scuola elementare contribuisce a un coinvolgimento più ampio della scuola nella nostra questione: cioè se nell'insegnamento della lingua non debba esserci altro scopo che quello comunicativo (pratico-quotidiano, professionale, specialistico). L'insegnamento della lingua straniera nella scuola elementare dovrebbe per lo meno far riflettere su altri fini dello studio di una o più lingue, oltre quella materna, che non siano quelli pratici della comunicazione.

Nei *Nuovi programmi didattici per la scuola primaria*, la prima finalità che si attribuisce all'insegnamento della lingua straniera è quella di "aiutare ed arricchire lo sviluppo cognitivo offrendo un altro strumento di organizzazione delle conoscenze" (1985: 27). Viene collocato, invece, al secondo posto l'obiettivo di "permettere al fanciullo di comunicare con altri traverso una lingua diversa dalla propria".

Ma, a parte la scuola, la nostra questione diventa una questione generale, che riguarda tutti coloro che si accostano alla conoscenza di una lingua straniera: non ci sono altre motivazioni e altri vantaggi nello studio delle lingue straniere, che quelli di ordine comunicativo?

A questo proposito dovrebbe far riflettere la convinzione espressa da Noam Chomsky secondo cui la funzione specifica del linguaggio non è la comunicazione, sicché l'interesse per le funzioni comunicative nello studio delle lingue è addirittura fuorviante rispetto alla loro conoscenza. Chomsky si riferisce soprattutto alla conoscenza del linguista ed è ovvio che la conoscenza del linguista nei confronti di una lingua va ben al di là di scopi comunicativi. Ma per Chomsky anche la competenza linguistica del parlante nativo non si riduce alla conoscenza comunicativa.

Dal nostro punto di vista, quello che ci interessa è il valore che può assumere, al di là di quello pratico-comunicativo, la conoscenza di una lingua straniera per la *coscienza linguistica*, la coscienza linguistica di un parlante di una determinata lingua, la sua coscienza linguistica rispetto alla lingua di cui è competente in quanto parlante nativo. La questione è se lo studio delle lingue straniere non debba essere svolto anche per riflettere sulla lingua straniera oltre che per usarla nella comunicazione, precisamente per riflettere su di essa con lo scopo di allargare la propria *coscienza linguistica*, di realizzare un atteggiamento di presa di coscienza, di distanziamento, di capacità critica nei confronti della stessa lingua posseduta come materna (nella prospettiva di una "pedagogia dell'interculturalismo" una tale visione critica della propria lingua e della propria cultura dovrebbe essere centrale).

Questa riflessione sulla lingua straniera non ha come fine la *conoscenza linguistica* nel senso in cui può interessare al linguista, ma è in funzione della *coscienza linguistica di parlante* riguardo alla propria stessa lingua. Essa perciò conferisce un senso concreto alla conoscenza delle regole grammaticali, all'attenzione sul funzionamento interno della lingua seconda, al suo lessico e alla sua interpretazione semantica del mondo, al raffronto fra le sue regole e quelle della lingua primaria. La priorità attribuita alla competenza comunicativa nello studio della lingua straniera fa perdere di vista la sua conoscenza in funzione dell'ampliamento della coscienza linguistica, rispetto alla quale lo stesso studio delle regole grammaticali (sul piano fonologico, fonetico, morfologico, sintattico, lessicale e semantico) può trovare una valida motivazione.

Da questo punto di vista, riacquista senso anche lo studio delle lingue morte, la cui funzione comunicativa può evidentemente riguardare unicamente la conoscenza dei testi in esse redatti, e che invece possono contribuire moltissimo alla consapevolezza nei confronti della propria lingua viva, e non soltanto per motivi storici di dipendenza, di derivazione, di discendenza, ma anche nel caso di rapporti fra lingue del tutto lontane sul piano storico o geografico. Così come è possibile uno spazio per la conoscenza delle lingue straniere moderne che non sia la conoscenza per scopi pratico-comunicativi e neppure si riduca alla conoscenza di linguista, ma che riguardi la possibilità di un più ampio spessore della coscienza linguistica di parlante, alla stessa maniera è possibile, nei confronti delle lingue morte, uno spazio conoscitivo che non sia né conoscenza per scopi (ridottissimi) di ordine comunicativo, né conoscenza da erudito o da filologo, ma contribuisca anch'essa alle possibilità critiche di presa di coscienza linguistica.

Abbiamo già fatto riferimento nel capitolo precedente all'importanza della traduzione interlinguistica nei confronti della consapevolezza linguistica. Per il distanziamento dalla propria lingua in modo da averne una visione critica, sono necessari, come dice Bachtin, gli *occhi di un'altra lingua*. Dalla propria lingua non è possibile uscire per guardarla dall'esterno, a meno che non si entri in un'altra lingua. Abbiamo anche più volte insistito (Ponzio 1985, 1994, 1997a, 1997b) sulla differenza che intercorre fra *plurilinguismo* (capacità di passare da una lingua ad un'altra) e *pluridiscorsività dialogica* (confronto e interazione dialogici fra le lingue). Di ciò si deve tener conto nell'insegnamento della seconda lingua.

Gli studi di psicologia del bilinguismo e dell'educazione bilingue condotti in Italia da Titone nell'ambito della psicopedagogia del linguaggio e le ricerche in questi settori svolte da psicolinguisti americani (Diebold e altri), canadesi (Bain e Danesi), svizzeri (Grosjean) confermano la distinzione fra una semplice situazione di bilinguismo funzionale, inerente ad ambienti multiculturali, e una "competenza bilingue", come padronanza di due lingue nel senso della comprensione linguistica adeguata del loro funzionamento e delle loro differenze (v. Titone 1996). Titone insiste sull'importanza dell'acquisizione linguistica della seconda lingua non semplicemente come strumento comunicativo, ma soprattutto come fattore formativo rivolto allo sviluppo dell'intera personalità del discente.

Anche se in certi passaggi Titone sembra includere quest'ultimo aspetto nella sfera della "competenza comunicativa" quale momento pragmatico di integrazione e completamento di tale competenza (v. ivi: 180), tuttavia dalle sue analisi risulta nel complesso che l'acquisizione linguistica della seconda lingua come fattore formativo è qualcosa di diverso e di più vasto e complesso dell'insegnamento della seconda lingua come strumento comunicativo (v. ivi: 195).

Titone distingue fra "consapevolezza linguistica" e "coscienza metalinguistica". La prima è caratterizzata dal suo carattere implicito, in quanto causata dalla maturazione cognitiva anche antecedentemente alla scolarizzazione formale. La seconda consiste in una conoscenza formale, intenzionale, dichiarativa, dei sistemi semiotici comuni alle lingue, ed emerge intorno ai dodici anni in seguito ad una adeguata esposizione alla scolarizzazione formale (v. ivi: 190). La conoscenza di una seconda lingua è particolarmente importante nello sviluppo della conoscenza metalinguistica.

> Il punto interessante da sottolineare qui è che la bilingualità, come stato psicologico implicante fattori intellettivi e atteggiamenti motivazionali, sembra essere un fattore particolarmente forte nell'influenzare lo sviluppo della coscienza metalinguistica perfino in bambini molto piccoli cresciuti in uno stato di bilinguismo simultaneo (ivi: 190-191).

Il riconoscimento dell'importanza dell'apprendimento linguistico allargato a una seconda o terza lingua in funzione dello sviluppo complessivo della personalità, ovvero in funzione della presa di coscienza linguistica, è connesso ad una concezione del parlare come linguaggio non ridotto a strumento comunicativo, ma in quanto *abilità cognitiva complessa* (v. ivi: 18), o, secondo la terminologia di Thomas A. Sebeok, come *procedura modellizzante* primaria caratterizzata dalla "sintassi", o "scrittura" (v. Ponzio 1997c e anche qui di seguito), intesa come capacità di costruzione e decostruzione infinite tramite un numero finito di elementi.

Il linguaggio, in tal senso, è una capacità specie specifica dell'uomo: sul piano filogenetico, già dell'*homo habilis* (muto), prima che l'*homo sapiens* impiegasse il parlare per comunicare; sul piano ontogenetico, già "in dotazione" dell'infante, benché *in-fans*, non parlante; sul piano patologico, in possesso da parte del sordomuto, per quanto incapace di utilizzare il mezzo comunicativo del parlare. Si potrebbe dire che al cane più bravo a farsi capire non manca solo la parola, come si dice; manca in primo luogo il linguaggio. È al sordomuto, il quale non per questo è privo della capacità di linguaggio, che manca solo la parola. Se, come avviene nella divertente scenetta immaginata da De Mauro (1994: 130), due nostri antenati preistorici potevano lamentarsi per la nuova invenzione del parlare e dei suoi "inconvenienti" (De Mauro non si chiede con che mezzo lo avrebbero fatto) è perché dotati di linguaggio e, sulla sua base, di altri mezzi comunicativi rispetto al parlare.

Il linguaggio, quale capacità di costruzione di più mondi possibili, trova una sua delimitazione costruttiva nel realizzarsi mediante una lingua determinata.

Certamente, "il gioco del fantasticare" (Charles S. Peirce), fondato sul linguaggio, nella lingua trova tanto più incremento quanto più è in grado di avvantaggiarsi di tutti gli strumenti che la lingua fornisce e di sfruttare in pieno tutte quante le sue potenzialità, anche perché le lingue stesse sono il risultato storico di "questo gioco del fantasticare", sono fondate sulla capacità di linguaggio e testimoniano ciascuna la sua capacità di costruzione di più mondi.

Ma la capacità di linguaggio e il gioco del fantasticare trovano anche nella lingua così come storicamente si è costruita una delimitazione delle proprie possibilità. Questa restrizione del linguaggio da parte di una lingua può essere superata con l'impiego di un'altra lingua, la cui conoscenza pertanto non serve soltanto per superare barriere di ordine comunicativo, ma anche di ordine cognitivo, critico, ideologico, inventivo, ecc. con l'evidente vantaggio – proprio di un plurilinguismo dialogico – sul piano della capacità decostruttiva e ricostruttiva, quale condizione del pieno sviluppo, non delimitato e non pregiudicato unilinearmente, della personalità.

La presa di coscienza nei confronti della propria lingua, che è resa possibile dall'assunzione della visione del mondo di un'altra lingua, permette una visione non coincidente con quella offerta dalla propria lingua e capace di arricchire dunque, sul piano dialogico, non solo la coscienza linguistica del parlante, ma anche la coscienza linguistica della lingua stessa.

La letteratura può svolgere un'analoga funzione nei confronti della conoscenza della lingua.

Cominciamo con l'indicare alcune delle caratteristiche ricorrenti del testo letterario relativamente ai generi secondo cui esso di volta in volta si specifica, in modo da poter evidenziare gli aspetti da focalizzare, soprattutto nell'insegnamento della letteratura, e stabilire un rapporto col testo che non ne perda di vista il valore letterario.

I formalisti russi (v. Medvedev 1928 e Todorov 1968) si sono direttamente occupati della specificità del testo letterario, ritenendo che essa dovesse esssere spiegata a partire dall'analisi del linguaggio. Il loro limite consiste nell'aver ritenuto generalmente che tale analisi dovesse essere condotta con le categorie della linguistica, la quale avrebbe dovuto trattare il linguaggio poetico come se si trattasse di una lingua, intesa come sistema di regole, con le sue caratteristiche di ordine fonetico, sintattico e semantico. L'espressione "*jazik poetičeskij*" dei formalisti russi è ambigua: la duplicità di significato del termine russo *jazik* (lingua/linguaggio) permise loro di parlare del linguaggio poetico come se si trattasse di una lingua, di un sistema, e di considerarlo come contrapposto ad un altro linguaggio, anch'esso non ben definito, sommariamente indicato come "*jazik praktičeskij*", linguaggio pratico. Un primo presupposto dato per scontato nel formalismo russo è la contrapposizione di due "sistemi linguistici": quello "poetico" e quello "quotidiano-pratico", "comunicativo". Un secondo presupposto tacito è che essenziali nello studio del linguaggio poetico siano le differenze piuttosto che le somiglianze fra questi due sistemi.

Le potenzialità della forma artistica sono invece già poste, come soprattutto Bachtin e i suoi collaboratori hanno evidenziato (v. Medvedev 1928 e Vološinov 1926-30), nel discorso della vita extra-artistica, nell'enunciazione stessa della vita quotidiana. Le enunciazioni nei loro contesti situazionali, gli atti linguistici concreti, presentano elementi e aspetti che si trovano organizzati in maniera peculiare nel testo letterario. In particolare si tratta del rapporto presente in ogni enunciazione fra autore, destinatario e protagonista (o eroe: ciò di cui si parla, indipendentemente dal fatto che si tratti di una persona o di un oggetto). La letteratura, attraverso l'impiego delle potenzialità dialogiche del linguaggio a cui specialmente alcuni generi letterari sono particolarmente sensibili, supera la lingua, all'interno della lingua stessa: un superamento immanente, che però pone la parola letteraria in un rapporto di irriducibile "alterità" con la lingua della linguistica.

Ci vuole una linguistica della letteratura nel senso di linguistica fornita dalla prospettiva che la letteratura ha nei confronti del verbale, in quanto "arte verbale", per comprendere la specificità del testo letterario. Non dunque una applicazione della linguistica alla letteratura, ma una concezione del linguaggio verbale che sia quella che la letteratura permette di cogliere: questa linguistica della letteratura, in cui "della letteratura" è *genitivo soggettivo* e non *genitivo oggettivo,* è ciò che Bachtin (1963) chiama "metalinguistica".

Ora torniamo a considerare il contributo della letteratura alla conoscenza della lingua.

La letteratura fornisce la possibilità di cogliere in pieno la struttura dialogica dell'enunciazione che, osservata da un punto di vista esterno alla letteratura, viene colta soltanto in maniera superficiale e appiattita. Infatti i generi letterari sono tipi particolari del tipo generale dei generi del discorso e giocano riguardo al problema del dialogo e del dialogismo interno all'enunciazione un ruolo fondamentale.

Con Bachtin (1952-53) possiamo distinguere, nei generi di discorso, i *generi primari* o *semplici,* cioè i generi del dialogo quotidiano, e i *generi secondari* o *complessi,* come il romanzo, i generi teatrali, ecc., cioè tutti i generi letterari che raffigurano, rendono oggettivato, lo scambio quotidiano, ordinario, oggettivo. Il dialogo dei generi primari, nella sua qualità di componente dei generi secondari, divenendo dialogo raffigurato, oggettivato, perde il suo legame diretto con il contesto attuale e con gli obiettivi della vita quotidiana e, di conseguenza, perde il suo carattere strumentale, funzionale. L'enunciazione *esce dal contesto limitato* e *dall'orientamento prevalentemente monologico,* secondo cui si determina rispetto al suo oggetto e rispetto alle altre enunciazioni del suo contesto. Essa entra invece nel contesto del discorso che la raffigura, nella complessa interazione verbale con l'autore che la riporta, la oggettiva, nella forma del discorso indiretto, diretto, indiretto libero e nelle loro varianti.

Perciò la complessità del dialogo della parola viva può essere meglio studiata nella raffigurazione della parola e nella sua dialogizzazione interna che ritroviamo nei generi del discorso secondari della letteratura e specialmente nel genere romanzo, poiché qui è possibile cogliere aspetti del dialogo che i generi del discorso primari, semplici, diretti, oggettivi, non rivelano. E questo studio interessa quando si voglia assumere come oggetto di analisi l'*enunciazione*, che è la *cellula viva dello scambio dialogico*, invece della *frase* o della *proposizione*, che è la cellula morta della *langue* (v. sopra, capitolo 1).

> Se ci si orienta in modo unilineare sui generi primari, si volgarizza inevitabilmente tutto il problema (il grado estremo di questa volgarizzazione è dato dalla linguistica behaviorista). Sono l'interrelazione fra i generi primari e secondari e il processo di formazione storica di questi ultimi a gettare luce sulla natura dell'enunciazione (e, prima di tutto, sul problema complesso dell'interrelazione fra lingua e ideologia, la concezione del mondo) (Bachtin, ivi, trad. it.: 253-290).

Ciò significa che piuttosto che dipendere dalla linguistica lo studio del linguaggio letterario, soprattutto nell'ambito di certi generi e sottogeneri letterari, può contribuire a una comprensione del carattere dialogico dell'enunciazione extra-artistica e dunque ad ampliare le capacità interpretative della linguistica.

Certamente questa dialogicità può essere colta soprattutto nel romanzo e particolarmente nella sua modalità di "romanzo polifonico" che esso assume a partire da Dostoevskij. Ma è evidenziabile anche in altri generi letterari, e, come Bachtin ha mostrato fin dai suoi primi scritti, persino nella poesia lirica (v. Bachtin 1920-24 e 1924). Infatti, ogni momento di un'opera artistica può essere considerato come reazione dell'autore a una reazione dell'eroe nei confronti di un oggetto, di un evento: *reazione a una reazione*. Il rapporto dell'autore e dell'arte con la vita è indiretto, mediato dall'eroe.

Anche nella vita riscontriamo situazioni di reazione: ma qui l'uomo a cui si reagisce e la sua reazione vengono considerati nella loro oggettività, e anche la reazione alla reazione è oggettiva, esprime una presa di posizione nei suoi riguardi ed è funzionale a un determinato contesto e a un determinato scopo. A livello artistico-letterario, invece, la reazione dell'eroe viene raffigurata: essa non è più oggettiva, ma *oggettivata*, come oggettivata, distanziata dall'autore-uomo, è la sua stessa reazione. In quanto oggettivata, la reazione alla vita, all'eroe, non ha più un carattere provvisorio e funzionale a uno scopo, pratico o conoscitivo, delimitato. All'opera letteraria è necessaria una reazione unitaria alla totalità dell'eroe che, distinta dall'azione conoscitiva e da quella etica, ma non indifferente ad esse, raccolga tutte le singole reazioni etico-conoscitive e le unifichi in un tutto architettonico. Questa azione unitaria da parte dell'autore, perché assuma valore artistico, deve far sentire tutta la resistenza della realtà, della vita, di cui è espressione l'eroe, di ciò che è oggettivo rispetto alla sua raffigurazione, alla sua oggettivazione, deve far sentire l'alterità dell'eroe, con i suoi valori extra-artistici, deve dunque partire da una posizione di exotopia, di extralocalità di spazio, di tempo, di senso, rispetto all'eroe, maggiormente se l'eroe o è autobiografico:

> Il rapporto di valore con me stesso è esteticamente del tutto improduttivo: io per me stesso sono esteticamente irreale [...]. In tutte le forme estetiche la forza organizzatrice è data dalla categoria di valore dell'*altro*, dal rapporto verso l'altro arricchito da un'eccedenza di valore che ha la mia visione dell'altro e che permette il compimento transgrediente (Bachtin 1979, trad. it.: 170).

Così, anche in una poesia lirica – come mostra Bachtin evidenziando, in una poesia di Puškin, *La separazione*, l'intreccio dialogico fra il contesto dell'autore e quelli dei due protagonisti, l'autore-eroe e l'eroina – si può osservare la dinamica fra centri di forze che impedisce la chiusura in senso monologico della parola.

> Pei lidi della patria tua lontana
> Lo straniero paese tu lasciasti.

In questi due soli versi si interpenetrano dialogicamente tre centri di valore da cui si diramano altrettanti punti di vista e scelte e intonazioni di quasi ogni parola: quello dell'eroina rispetto al quale viene scelta la parola "patria", quello dell'autore-eroe a partire dal quale viene usato il verbo "lasciare" e quello del contesto dell'autore-scrittore consapevole ormai della successiva morte di lei, per il quale si caricano di un ulteriore significato concernente il destino di lei e di lui la parola "lasciare" come pure "lontana", che connota in senso assiologico la distanza geografica. Al punto che, dice Bachtin, nell'effettiva recitazione della poesia il problema dell'esecutore è trovare il giusto equilibrio fra queste tre direzioni intonative (v. Bachtin 1920, trad. it.: 162 e sgg).

Nella parola extra-letteraria, la dialogicità di solito si presenta in un atto intenzionale e si sviluppa nel dialogo diretto oppure nelle forme di discorso riportato in cui si mira alla demarcazione fra parola propria e parola altrui e vengono segnati i confini di proprietà delle parole. Nella parola letteraria, invece, la dialogicità della parola compenetra dall'interno l'atto stesso con cui la parola concepisce il suo oggetto e il modo della sua espressione, trasformando la semantica e la struttura sintattica della parola. La dialogicità di intonazioni e punti di vista diversi diventa l'evento stesso della parola letteraria che dall'interno la vivifica e drammatizza (v. Bachtin 1975, trad. it. 1979: 92)

Da questo punto di vista, il testo letterario, a gradi diversi a seconda del genere a cui appartiene, offre la possibilità di sperimentare direttamente il carattere dialogico del parlare. Esso offre concrete esperienze di drammatizzazione della parola, di percezione e reazione alla parola altrui che non solo diventano interessanti quando si voglia mostrare come è fatto un testo letterario ed educare a una lettura in grado di coglierne la tessitura dialogica, ma che possono anche mostrare come funziona sul piano dialogico la lingua stessa, possono abituare agli aspetti dialogici della parola anche in assenza di un vero e proprio dialogo formale, o viceversa far misurare il grado di sostanziale dialogità in un dialogo formale, evidenziandone il carattere monologico.

Anche nell'insegnamento della lingua straniera, dove l'attenzione alla componente dialogica del discorso dovrebbe essere fondamentale, la funzione del testo letterario, per il suo grado elevato di dialogizzazione della parola, è particolarmente importante. Si consideri per esempio che l'audiovisivo, come mezzo didattico, per quanto abbia il vantaggio del collegamento parola-immagine-azione, può presentare il discorso soltanto sul piano bidimensionale dell'interazione dialogica con un altro discorso, e non su quello tridimensionale dell'interazione di entrambi con un terzo discorso (la parola dell'autore) da cui essi sono riportati, come avviene nel testo letterario.

Anziché considerare l'insegnamento della lingua viva separata dall'insegnamento della letteratura, bisognerebbe mostrare attraverso il testo letterario fino a che grado elevato di dialogità può vivere la parola, far sentire il risuonare della parola altrui nella parola propria e viceversa, mostrare, in assenza di reali contesti dialogici nell'aula scolastica, come il dialogo concretamente si realizzi in quelli creati dal testo letterario, e abituare, attraverso il testo letterario, alla reazione della parola alla parola, condizione di una non superficiale competenza comunicativa che il testo letterario si occupa specificamente di raffigurare.

Il "trovarsi fuori", che anche per Blanchot caratterizza la posizione dello scrittore e lo spazio letterario (v. anche Foucault 1996), l'"exotopia", l'"extralocalizzazione" di spazio, tempo, valore e senso: è questa dunque la condizione determinante della parola letteraria, come lo è la partecipazione alla vita, ai contenuti della vita e ai valori della vita sociale. L'opera letteraria assume fisionomie diverse a seconda di come si organizza la dialettica fra l'"essere dentro" e l'"essere fuori" della parola letteraria, la quale dunque comporta sempre una certa distanza, anche quando sembra esserci identificazione, fra autore ed eroe, come condizione del fatto che il contenuto riceva una forma artistica.

Anche là dove, come nell'autobiografia, l'autore si identifica con l'eroe, la letterarietà del testo dipende da un certo grado di distanziamento fra autore ed eroe, che fa sì che quest'ultimo, per così dire, non sia preso del tutto sul serio, che la sua visione del mondo venga presentata come relativa e superata da un punto di vista esterno: ciò lo rende personaggio incompibile facendolo uscire dai limiti del mondo che rendono la sua parola compiuta e finita.

La scrittura letteraria si pone sempre, più o meno, fuori dal discorso funzionale e produttivo; per il suo porsi fuori dalla vita, ha un certo rapporto con la morte, e guarda sempre alle cose umane dall'"estrema soglia", e quindi con una certa ironia, con un atteggiamento serio-comico più o meno accentuato a seconda dei generi letterari e delle loro varianti. Paradossalmente proprio questa familiarità con la morte conferisce al testo letterario la possibilità di sopravvivere alla sua contemporaneità.

È questa partecipazione distanziata a dare luogo alla "percezione doppia", di cui parla Leopardi, che non è solo condizione del pensiero poetante, ma anche di una vita non appiattita e resa asfittica dall'univocità, dalla omologazione, dalla riduzione al medesimo, dalla chiusura dell'identità.

All'uomo sensibile e immaginoso, che viva, come io sono vissuto gran tempo, sentendo di continuo ed immaginando, il mondo e gli oggetti sono in certo modo doppi. Egli vedrà cogli occhi una torre, una campagna; udrà cogli orecchi un suono d'una campana; e nel tempo stesso coll'immaginazione vedrà un'altra torre, un'altra campagna, udrà un altro suono. In questo secondo genere di obbietti sta tutto il bello e il piacevole delle cose. Trista quella vita (ed è pur tale la vita comunemente) che non vede, non ode, non sente se non che oggetti semplici, quelli soli di cui gli occhi, gli orecchi e gli altri sentimenti ricevono la sensazione (Leopardi, *Zibaldone*, 4418; i testi citati dallo *Zibaldone* sono da noi indicati qui e in seguito in base alla numerazione delle pagine dell'autografo e alla data).

Questa apertura all'alterità propria dello sguardo letterario, non va perduta di vista nell'insegnamento della letteratura.

La scrittura letteraria permette di fare ciò che Perseo, l'"eroe leggero" elogiato da Italo Calvino, fa nel mito quando vince la Medusa. Perseo vince il mostro il cui sguardo pietrifica, guardandolo non direttamente e neppure evitando di guardarlo e volgendo gli occhi altrove, ma guardandolo indirettamente, *riflesso*, come dice il mito, nello scudo. Analogamente la scrittura letteraria può sottrarsi alla pietrificazione della realtà, guardando le cose, ma in maniera indiretta.

Scrive Italo Calvino:

A volte mi sembra che un'epidemia pestilenziale abbia colpito l'umanità nella facoltà che più la caratterizza, cioè l'uso della parola, una peste del linguaggio che si manifesta come perdita di forza conoscitiva e di immediatezza, come automatismo che tende a livellare l'espressione sulle formule più generiche, astratte, a diluire i significati, a smussare le punte espressive, a spegnere ogni scintilla che sprizzi dalle parole con nuove circostanze [...]. Ma forse l'inconsistenza non è nelle immagini o nel linguaggio soltanto: è nel mondo. La peste colpisce anche la vita delle persone, la storia delle nazioni, rende tutte le storie informi, casuali, confuse [...]. Non mi interessa qui chiedermi se le origini di quest'epidemia del linguaggio siano da ricercare nella politica, nell'ideologia, nell'uniformità burocratica, nell'omogeneizzazione dei mass-media, nella diffusione scolastica della media cultura. Quel che mi interessa sono le possibilità di salute. La letteratura (e forse solo la letteratura) può creare degli anticorpi che contrastino l'espandersi della peste del linguaggio [...]. Il mio disagio è per la perdita di forma che constato nella vita, e a cui cerco di opporre l'unica difesa che riesco a concepire: un'idea della letteratura (Calvino 1988: 58-59).

Non è casuale che, nel romanzo di Orwell *1984*, la "Neolingua", che rappresenta il punto limite dell'ipotesi di una realtà in cui l'infunzionale e l'eccedente siano stati cancellati, viene presentata in netta antitesi al linguaggio della letteratura.

In base a tutto ciò che abbiamo detto fin qui è facile immaginare quali siano le caratteristiche della Neolingua: univocità, monologismo, asservimento del significante a un significato prestabilito, eliminazione di significati eterodossi e in ogni caso secondari, riduzione al minimo della scelta delle parole, riduzione del vocabolario all'essenziale, omologazione delle regole morfologiche e sintattiche, assenza di irregolarità ed eccezioni. "Tutte le ambiguità e sfumature di significato sono rigidamente eliminate [...]. Sarebbe stato del tutto impossibile usare il Vocabolario per scopi letterari [...]". In questa lingua non c'è posto per l'espressione del desiderio e del godimento: il corpo è interdetto. "La vita sessuale, per esempio, era interamente regolata dalle due parole in Neolingua: *reasesso* (e cioè immoralità sessuale) e *sesbuono* (castità). *Reasesso* comprendeva tutte le perversioni, ivi inclusi, naturalmente, "i rapporti sessuali fra uomo e donna *fini a se stessi*".

Che cosa dà più filo da torcere a questa lingua quando in essa si vogliano tradurre le opere del passato? La scrittura letteraria, evidentemente: Shakespeare, Milton, Swift, Byron, Dickens... E fu soprattutto per concedere un po' di respiro a questo lavoro di traduzione, dice il testo e così si conclude, che l'adozione finale della Neolingua era stata fissata a una data così lontana come il 2050.

Che cosa ci dice dunque *1984* con questa ipotesi estrema di una lingua da cui l'eccedenza, l'alterità, l'utopia, il corpo, la scrittura siano eliminati con l'eliminazione della plurivocità, del plurilogismo, della pluridiscorsività?

Potremmo rispondere con Leopardi che su un'ipotesi del genere, spesso vagheggiata nella storia del pensiero, aveva già riflettuto nello *Zibaldone*: L'accostamento di Orwell a Leopardi, a ben vedere, non è affatto illecito.

Una lingua del genere, dice Leopardi, qualunque ella mai si fosse, dovrebbe certamente essere di necessità e per sua natura, la più schiava, povera, timida, monotona, uniforme, arida e brutta lingua, la più incapace di ogni genere di bellezza, la più impropria all'immaginazione, e la meno da lei dipendente, anzi la più di lei per ogni verso disgiunta, la più esangue e inanimata e morta, che mai si possa concepire; uno scheletro, un'ombra di lingua piuttosto che lingua veramente, una lingua non viva, quando pur fosse da tutti scritta e universalmente intesa; anzi più morta assai di qualsivoglia lingua, che più non si parli o scriva. Ma si può sperare che perché gli uomini siano già fatti, generalmente, sudditi infermi, impotenti, inerti, avviliti, languidi e miseri della ragione, ei non diverranno però mai schiavi moribondi e incatenati della geometria. E quanto a questa parte di una qualunque lingua strettamente universale, non si può non tanto sperare, ma fermamente e sicuramente predire che il mondo non sarà mai geometrizzato (Zibaldone, 3253-3254, 23 agosto 1823).

5.
Il contributo della riflessione leopardiana sulla lingua e sulla letteratura

Troviamo in Leopardi, più volte ripresa ed esplicitamente esposta ma presente anche come posizione di fondo delle sue riflessioni sulla lingua, la concezione secondo la quale il plurilinguismo è un fattore necessario e costitutivo della comunicazione umana. Alla nostalgia di un "monolinguismo originario", ritrovabile anche fuori dal mito babelico e dal senso comune, e non solo nelle concezioni filosofiche e linguistiche sia dell'illuminismo, sia del romanticismo, ma pure in talune del nostro tempo anche là dove si limitano a ipotizzare strutture linguistiche universali che sottenderebbero tutte le lingue (si pensi all'innatismo chomskiano), Leopardi contrappone la tesi che il plurilinguismo e il plurilogismo, anziché una maledizione, una caduta a partire da una condizione di felicità originaria, sono condizioni fondamentali e imprescindibili della comunicazione, dell'espressione e della comprensione.

> [...] La diversità de' linguaggi è naturale e inevitabile fra gli uomini, e la propagazione del genere umano portò con sé la moltiplicità delle lingue, e la divisione e suddivisione dell'idioma primitivo, e finalmente il non potersi intendere, né per conseguenza comunicare scambievolmente più che tanto numero di uomini. La confusione de' linguaggi, che dice la Scrittura essere stato un castigo di Dio agli uomini, è dunque effettivamente radicata nella natura, e inevitabilmente nella generazione umana, e fatta proprietà essenziale delle nazioni, ecc. (Leopardi, *Zibaldone*, 936, 12-13 aprile 1821).

Il plurilinguismo a cui Leopardi si riferisce non è solo quello esterno, relativo alla diversità e pluralità delle lingue, ma anche quello interno, riscontrabile nell'ambito di una "stessa" lingua. Una lingua non è qualcosa di uniforme, di omogeneo, di monolitico. C'è sempre, più o meno accentuato, un plurilinguismo interno a una stessa lingua, la quale rigorosamente parlando non è mai sempre e dappertutto *la stessa*. Una lingua non è un tutto unitario già formato, ma un movimento unificatore, nel quale però, finché una lingua è viva e si sviluppa, agiscono accanto alle forze centripete, forze centrifughe, avvengono continuamente processi di decentralizzazione. La lingua, dice Leopardi, "dentro la stessa nazione, e nelle sue proprie viscere, si divide e si diversifica"(ivi, 935).

Leopardi si distacca così da quelle tendenze filosofico-linguistiche che, come si esprime Bachtin, conoscono soltanto due poli della vita linguistica e in essi dispongono forzatamente tutti i fenomeni linguistici: il sistema della lingua unitaria e la realizzazione individuale di questa lingua da parte del parlante (v. Bachtin 1975, trad. it.: 77). Queste tendenze che esprimono le forze centripete della vita linguistico-sociale, ignorando quelle centrifughe, e che sono funzionali al compito politico della centralizzazione e unificazione delle lingue, sono ritrovabili sia nella poetica cartesiana del neoclassicismo, sia nell'universalismo grammaticale di Leibniz, sia nelle concezioni linguistiche di Herder e di Humboldt, benché con differenze e variazioni (cfr. ivi: 79). Le tendenze unificanti della riflessione linguistica e filosofica sulla lingua e sulla letteratura che, in seguito alla formazione dei primi stati nazionali, erano state rafforzate e incentivate dalla politica linguistica degli Stati, trovavano, agli inizi dell'Ottocento, accoglienza all'interno degli orientamenti ideologici favorevoli all'autonomia politica delle nazionalità.

La riflessione del Leopardi è troppo disincantata per lasciarsi prendere da visioni ideologiche che, per quanto politicamente innovative, comportavano, con il loro esclusivo orientamento verso l'unità, l'occultamento di fenomeni molto importanti della vita linguistica soprattutto collegati con le tendenze decentralizzanti e con il plurilinguismo interno. Così Leopardi non accetta una delle idee-forza dei movimenti ideologici tendenti alla libertà nazionale, cioè quella del nesso, anzi dell'identificazione, di unità linguistica e unità nazionale.

Tale idea, certamente assai antica, ritrovabile già nel mito biblico della torre di Babele, non è presente soltanto in autori del romanticismo tedesco, quali Herder, Fichte, Humboldt, ma è diffusa nella tradizione culturale italiana già molto prima del Risorgimento (Alighieri, Vico, Muratori) e si rafforza, a partire dalla fine del Settecento, teorizzata o letterariamente espressa da autori come Alfieri, Berchet, Settembrini, Manzoni (sul nesso lingua-nazione v. De

Mauro 1970). L'idea del nesso di lingua e nazione viene chiaramente respinta nel passo leopardiano sopra citato, dove si dice che la lingua si diversifica e si divide dentro a una stessa nazione, "nelle sue proprie viscere". Poco prima, nello stesso *Zibaldone*, si trova espresso un concetto analogo: la lingua di una nazione "si divide", "la conformità del linguaggio si perde, e per quanto quella nazione sia veramente ad originariamente la stessissima, la sua lingua non è più una" (*Zibaldone*, 933).

In tal modo la visione leopardiana resta aderente alla realtà linguistica e ai suoi processi di centralizzazione e di decentralizzazione, e quindi da una parte non si lascia sfuggire la complessità dei problemi relativi all'Italia circa il rapporto fra lingua e dialetti, fra lingua orale e scritta, fra letteratura e cultura popolare, che emergeranno con tutta la loro forza disincantante l'indomani dell'unificazione nazionale mettendo brutalmente di fronte al dissolvimento dell'identificazione di unità linguistica e unità nazionale; dall'altra, sul secondo versante del plurilinguismo, quello esterno, cioè dei rapporti fra lingua e lingua, non indulge ad atteggiamenti di esclusivismo linguistico-nazionalistico, volti a difendere la purezza della lingua nazionale.

Sotto questo riguardo è significativa la contrapposizione stabilita da De Mauro (1970: 8-9) fra Herder e Leopardi, il primo intollerante nei confronti delle "contaminazioni" delle lingue germaniche, il secondo invece disposto ad accogliere espressioni provenienti nella lingua italiana da altre lingue, soprattutto quando esse, più che gallicismi, o anglismi ecc., possono essere considerate come *europeismi*, e contribuiscono all'inserimento nella cultura europea e aprono ai vantaggi dell'ampliamento della visione del mondo connessi ad un plurilinguismo ben più ampio di quello circoscritto nel solo ambito della lingua nazionale. Se anziché provenire, come di fatto è, dalla lingua francese, tali espressioni di comune impiego nelle lingue europee venissero, dice Leopardi, "dalla lingua tartara, siccome l'uso decide della purità e bontà delle parole e dei modi, io credo che quel ch'è buono e conveniente per tutte le lingue d'Europa, debba esserlo [...] anche per l'Italia, che sta pure nel mezzo d'Europa, e non già nella Nuova Olanda o nella Terra di Jesso" (Leopardi, *Zibaldone*, 26 giugno 1821).

Leopardi considera anche i fenomeni linguistici con quell'atteggiamento spregiudicato e disilluso che potrebbe essere detto qoheletico (da *Qohélet* o l'*Ecclesiaste*) e che caratterizza i suoi *Canti* e le *Operette* (v. oltre, II. 4).

Un infinito vuoto / dice Qohélet / Un infinito niente / Tanto soffrire d'uomo sotto il sole / Che cosa vale? Venire andare di generazioni / E la terra che dura / Levarsi il sole e tramontare il sole / Corre in un punto / In un altro riappare / Andare e girare il vento / Da Sud a Settentrione / Girare girare andare / Del vento nel suo girare / Tutti i fiumi senza riempirlo / Si gettano nel mare / Sempre alla stessa foce / Si vanno i fiumi a gettare / Si stanca qualsiasi parola / Di più non puoi farle dire / Occhi avidi sempre di vedere / Orecchi mai riempiti di sentire / Quel che si è fatto si farà ancora / Niente è nuovo sotto il sole [...] Grande sapienza e grande tormento / Più intelligenza avrai più soffrirai [...] Ragazzo goditi la giovinezza / Va' dove va il tuo cuore / E dove va lo sguardo dei tuoi occhi / E getta via il tormento del tuo cuore / Strappati dalla carne il dolore / Perché un soffio è la giovinezza / Nerezza di capelli – un soffio (*Qohélet* o l'*Ecclesiaste*, trad. it. in Ceronetti 1970).

Tale atteggiamento leopardiano significa, nei confronti dell'illuminismo, critica del mito del progresso, ma anche potenziamento e sviluppo, fino alle estreme conseguenze, dei motivi edonistici e materialistici; nei confronti del romanticismo, distacco dalle tendenze idealistiche e conservatrici, come pure superamento del motivo pessimistico-romantico, e della sua meccanica e contingente connessione con il clima post-rivoluzionario, mediante una più ampia visione coinvolgente la situazione ontologico-esistenziale dell'uomo, per la quale Leopardi può essere collocato al fianco di pensatori come Schopenhauer e Kierkegaard (cfr. Binni 1973; Timpanaro 1969). Sul piano della riflessione linguistica, lo stesso atteggiamento dà luogo a una concezione di respiro europeo, in cui i fenomeni linguistici sono considerati prescindendo da fini e interessi particolari e momentanei che ne facciano perdere di vista o travisare e falsare ideologicamente i loro caratteri materiali, oggettivi.

Fra questi aspetti linguistici, c'è quello dei limiti della diffusione di una lingua, limiti che fanno parte della sua stessa natura, che ne sono costitutivi, e che contrastano con ogni tipo di velleità di espansionismo linguistico, con qualsiasi obiettivo di imposizione del monolinguismo e del monologismo. È con tono qoheletico che Leopardi descrive il ripresentarsi sempre di nuovo – a dispetto di tutte le ambizioni e progettazioni umane in senso lineare e progressivo – di certi aspetti irriducibili della vita linguistica, il loro ineluttabile carattere ripetitivo, ciclico, una sorta di "eterno ritorno", nel senso di Nietzsche, che vanifica qualsia-si intervento esterno che forzi verso un esito e una con-clusione definitiva.

> Sebbene un popolo conquistatore trasporti e pianti la sua lingua nel paese conquistato, e *distrugga anche del tutto la lingua paesana*, la sua lingua in quel dato paese appoco appoco *torna* [corsivo nostro] a diventare una lingua diversa dalla introdottaci (*Zibaldone*, 933.).
> [L'impossibilita dell'estendersi di una lingua oltre certi limiti] non è solamen-te dipendente dalla mescolanza di altre lingue che guastino quella tal lingua che si estende, a misura che trova occupato il posto da altre, e ne le caccia: ma è un'impossibilità materiale, innata, assoluta, per cui, quando anche tutto il resto del mondo fosse vuoto, o muto, quella tal lingua, dilatandosi più che tanto, si dividerebbe appoco appoco in più lingue (ivi, 934).

Nel considerare il plurilinguismo interno a una lingua, Leopardi non si limita soltanto ai rapporti fra lingua e dialetti, ma tiene conto anche delle sud-divisioni interne dei dialetti in parlate locali, dei linguaggi dei diversi mestieri, delle differenze linguistiche fra città e campagna, delle caratterizzazioni fami-liari, ecc.

> Ma dentro i confini di un medesimo ed unico dialetto, non v'è città, il cui linguaggio non differisca piu o meno, da quello medesimo della città più im-mediatamente vicina. Non differisca dico, nel tuono e inflessione e modula-zione della pronunzia, nella inflessione e modificazione delle parole, e in alcune parole, frasi, maniere, intieramente sue proprie e particolari. [...] Di più in ciascuna città, il linguaggio cittadinesco è diverso dal campestre. Di più senza uscire dalla città medesima, è noto che nella stessa Firenze si parla più di un dialetto, secondo la diversità delle contrade. Così che una lingua non arriva ad essere strettamente conforme e comune, neppure ad una stessa città, s'ella è più che tanto estesa, e popolata (ivi, 935-936.).

Da ciò risulta come a Leopardi (v. capitolo precedente) dovesse apparire non solo chimerica ma anche in contrasto con il naturale plurilinguismo del parlare umano, non solo cioè di impossibile realizzazione per difficoltà mate-riali, ma anche assurda rispetto alla effettiva costituzione dei linguaggi umani, "non solamente in pratica ma anche in ragione", l'idea di una *lingua universa-*

le. Il plurilinguismo è collegato strettamente con la complessità e varietà culturale e sociale, con le differenze delle tradizioni, dei costumi, delle credenze, ecc. Una lingua universale richiederebbe perciò una omologazione culturale e l'arresto e cessazione di qualsivoglia mutamento nelle conoscenze, nelle abitudini, nei valori, ecc. Abbiamo già citato sopra le considerazioni di Leopardi a proposito dell'idea della lingua universale, che egli dice, "qualunque ella mai si fosse, dovrebbe certamente essere di necessità e per sua natura, la più schiava, povera, timida, monotona, uniforme, arida e brutta lingua [...] una lingua non viva, quando pur fosse da tutti scritta e universalmente intesa, anzi più morta assai di qualsivoglia lingua che più non si parli ne scriva. [...] E quanto a questa parte di una qualunque lingua strettamente universale, si può non tanto sperare, ma fermamente e sicuramente predire che il mondo non sarà mai geometrizzato" (ivi, 3253-3254, 23 agosto 1823).

Il plurilinguismo è connesso alla plurivocità delle parole, alla loro vaghezza, duttilità, e quindi adattabilità a situazioni espressive e comunicative diverse. Le diverse funzioni espressive e comunicative sono possibili proprio perché i significati delle parole non sono fissati una volta per tutte e perché all'interno di una stessa parola vi è un margine più o meno ampio di variazione semantica. Una lingua viva, che si muove insieme al mutarsi e trasformarsi della realtà umana, è ricca di parole vaghe, plurivoche, le quali – se quelle univoche e determinate permettono la precisione – rendono invece possibile un'altra condizione non meno indispensabile nella comunicazione ed espressione: la duttilità.

Tutto ciò è lucidamente compreso dal Leopardi, che in questo senso anticipa quelle concezioni della semiotica contemporanea, che si trovano chiaramente espresse già in Peirce e in Bachtin, secondo cui ciò che caratterizza il segno (a differenza del segnale, v. sopra, i primi due capitoli) e soprattutto il segno verbale, in cui la segnità si realizza in maniera piena, non è un rapporto di corrispondenza uno a uno fra significante e significato, ma al contrario una sorta di alone semantico più o meno ampio entro il quale ci si orienta non in base a coordinate interne al segno stesso bensì al suo rinvio ad altri segni – in una catena mai stabilita una volta per tutte né chiusa – che costituiscono i suoi possibili interpretanti.

Rifacendosi al Beccaria (*Trattato dello stile*), che osservava come le parole presentano non la sola idea dell'oggetto significato ma anche, in maniera maggiore o minore, immagini accessorie, Leopardi distingue i segni verbali in *termini* e *parole*, i primi tendenti alla univocità e alla precisione, i secondi caratterizzati dalla vaghezza, dalla duttilità e funzionali alla proprietà espressiva. A differenza dei termini – che sono soprattutto costituiti dalle voci scientifiche – i quali presentano "la nuda e circoscritta idea", le parole realizzano la propria efficacia ed evidenza destando l'"immagine" dell'oggetto piuttosto che definendolo. Esse danno colorito al discorso, permettono espressioni libere, varie, ardite e figurate. Se le scienze hanno soprattutto bisogno della significazione nuda e circoscritta dei termini, il linguaggio colloquiale ed anche la letteratura richiedono la vaghezza delle parole, fanno leva soprattutto sull'immagine – con Peirce si potrebbe dire: sulla dimensione *iconica* dei segni verbali – per poter realizzare proprietà espressiva e conferire forza, novità ed evidenza al discorso (v. *Zibaldone*, 109-111, 30 aprile 1820).

Una lingua strettamente universale potrebbe essere formata da termini, non da parole. E di fatto i termini scientifici delle diverse lingue colte d'Europa non presentano fondamentali differenze fra di loro, tranne piccole modificazioni particolari per lo più nella desinenza, e così, osserva Leopardi, essi vengono a formare una specie di piccola lingua comune, un vocabolario, strettamente universale. Alla stessa maniera in cui considera assurdo il progetto di una lingua universale che soppianti le molteplici e differenti lingue, Leopardi ritiene assurdo l'atteggiamento di chiusura nei confronti di questo "universale vocabolario europeo comprendente quelle parole significanti un'idea chiara, sottile e precisa", che è patrimonio comune dello sviluppo scientifico e filosofico. Tale chiusura, dettata da preoccupazioni puristiche, significa in particolare per l'Italia aggravare ulteriormente lo stato di isolamento e di arretratezza rispetto al resto del pensiero filosofico-scientifico europeo (v. ivi, 26 giugno 1821).

Leopardi distingue fra una lingua *strettamente* universale, che è tale in quanto lingua universalmente primaria, e una lingua universale *in senso lato*, come poteva esserlo la lingua francese, la quale per quanto estesa e parlata fuori dalla Francia, può essere considerata universale solo come seconda lingua. Ora, il vocabolario scientifico e filosofico dei termini che esprimono significati precisi e chiari, costituisce una sorta di "lingua universale", osserva Leopardi, proprio nel senso stretto, perché esso è penetrato all'interno delle lingue europee e ne fa ormai parte; il che sottolinea ulteriormente l'assurdità dell'escluderlo dalla lingua italiana:

Ma questo vocabolario ch'io dico è parte della lingua primaria e propria di tutte le nazioni, e serve all'uso quotidiano di tutte le lingue e degli scrittori e parlatori di tutta l'Europa colta. Ora, la massima parte di questo vocabolario universale manca affatto alla lingua italiana accettata e riconosciuta per classica e pura, e quello che è puro in tutta l'Europa, è impuro in Italia. Questo è veramente e sconsigliatamente mettere l'Italia fuori di questo mondo e fuori di questo secolo (ivi, 1214).

Sulla base della distinzione fra termini e parole, Leopardi non solo definisce il proprio orientamento nei confronti dei pregiudizi puristi relativi alla lingua italiana, ma è in grado anche di precisare la propria posizione e valutazione riguardo alle altre lingue europee, come quando considera la critica rivolta ad Herder per aver introdotto nel tedesco parole prese dal latino e dal greco: le parole riprese da un'altra lingua straniera del tutto, con la quale cioè non vi sono rapporti di parentela, come invece avviene fra l'italiano e il latino o fra l'italiano e il francese, sono sempre termini, sono cioè in grado di esprimere una idea precisa ed esatta, ma "non hanno forza di suscitare nella nostra mente una idea sensibile della cosa, non hanno forza di farci sentire la cosa in qualunque modo", come possono fare invece le parole originali di qualunque lingua o quelle che, pur riprese da un'altra, hanno con la prima lingua un qualche legame di parentela (ivi, 951, 17 aprile 1921). In rapporto alla stessa distinzione, Leopardi ritiene che la lingua francese del suo tempo sia quella che maggiormente tende alla precisione, all'univocità e al monologismo terminologico:

Il pericolo grande che corre ora la lingua francese è di diventare lingua al tutto matematica e scientifica, per troppa abbondanza di termini in ogni sorta di cose, e dimenticanza delle antiche parole. Benché questo la renda facile e comune, perché è la lingua più artifiziale e geometricamente nuda che esista oramai (ivi, 110).

Per ciò che concerne l'universalità in senso lato di una lingua, cioè la sua diffusione, adozione e uso come seconda lingua, Leopardi ritiene che essa dipenda principalmente dalla semplicità e facilità della sua struttura, che è ben altro dall'aridità ed esattezza geometrica.

Collegata con tale qualità è l'altra condizione dell'"universalità relativa" di una lingua, cioè che non vi sia nessun divario, o che almeno ve ne sia poco, fra linguaggio scritto e quello orale comune alla nazione: in tal modo l'influenza del linguaggio orale trova un rafforzamento in quella del linguaggio scritto, e viceversa, perché entrambi propagano la stessa lingua. Ciò spiega la diffusione, all'epoca, della lingua francese, considerate la sua semplicità strutturale, la grandissima parità di linguaggio fra scrittori e nazione e anche la popolarità e nazionalità degli scrittori e della letteratura (v. ivi, 538-866, 21-24 marzo 1821).

In base alle stesse considerazioni, indipendentemente dai fattori extralinguistici come il commercio, le circostanze politiche, ecc. – che tuttavia hanno la loro importanza per la diffusione di una lingua, come tutti quelli che determinano l'influenza della nazione che la parla (v. ivi, 240) –, Leopardi ritiene di poter valutare la diversa portata universale di determinate lingue: della lingua latina, con il suo divario fra lingua orale e lingua scritta; della lingua greca, della lingua italiana: la lingua italiana del Trecento con un minore divario fra intellettuali e popolo rispetto a quella del Cinquecento, la quale tuttavia, insieme anche a quella del Seicento "continuava ancora in grandissima relazione con le classi, se non volgari, certo non di professione letterata, e quindi anche passava agli stranieri" (ivi, 843); infine la lingua italiana quale si presenta nel suo stato attuale al Leopardi, e che con la separazione fra parlato e scritto aggiunge un ulteriore ostacolo alla sua universalità, ecc.

Al rapporto fra univocità e precisione dei termini da una parte, e plurivocità, vaghezza e forza espressiva delle parole dall'altra, Leopardi fa corrispondere il rapporto, rispettivamente, fra scienza e letteratura, o meglio fra linguaggio scientifico e linguaggio letterario.

L'espressione scientifica rifiuta le immagini accessorie rispetto al significato, tutto in essa è funzionale alla determinazione e definizione dell'idea, che ne risulta nuda e circoscritta. Essa è inoltre, il luogo della comunicazione diretta, tendente alla obiettività, alla verità. Nella letteratura, invece, le parole significanti non sono al servizio di un'idea precisa e distinta, esse alludono, piuttosto che dire direttamente, destano l'immagine dell'oggetto anziché definirlo, presentano un di più, un di troppo rispetto al nudo significato, un'eccedenza della forma sul contenuto: si realizza un gioco di rinvii, di differimenti, che è ben diverso dalla comunicazione funzionalizzata alla verità, alla trasmissione e rivelazione di un'idea.

È proprio ufficio de' poeti e degli scrittori ameni il coprire quanto si possa la nudità delle cose, come è ufficio degli scienziati e de' filosofi il rivelarla. Quindi le parole precise convengono a questi, e sconvengono per lo più a quelli [...]. Allo scienziato le parole più convenienti sono le più precise ed esprimenti un'idea più nuda. Al poeta e al letterato per lo contrario le parole più vaghe, ed esprimenti idee più incerte, o un maggior numero di idee ecc. (ivi, 1226).

Leopardi colloca nell'ambito della comunicazione scientifica, diretta e precisa, anche la filosofia, tendente al rigore terminologico, allo sviluppo del sapere, alla trasmissione di conoscenze e valori, volta a comunicare risultati, ecc. Ben diversa è evidentemente la filosofia della "comunicazione doppia" e "indiretta", non tendente alla comunicazione di certezze e alla univocità, quale è teorizzata da Kierkegaard (v. Ponzio 1995b) nella *Postilla conclusiva non scientifica* (1846) e che trova piena realizzazione nella sua opera intitolata *Enten-Eller* (*Aut-Aut*, 1843), come pure la filosofia dello stesso Leopardi, quale si presenta nelle *Operette morali*: qui, in entrambi i casi, letteratura e filosofia si incontrano.

Risulta da quanto precede non solo il respiro europeo della riflessione di Leopardi sui problemi linguistici e il suo pieno diritto di collocazione accanto ai contributi che fra Settecento e primo Ottocento vengono dati allo studio del linguaggio da autori come Condillac, Rousseau, Herder, Humboldt, ma pure la sua attualità.

Non mancano in Leopardi anche considerazioni sulla funzione cognitiva del linguaggio, sul nesso linguaggio-pensiero, sul rapporto fra conoscenza di più lingue e capacità riflessiva e critica, per le quali egli anticipa posizioni attuali della filosofia del linguaggio e della psicolinguistica. Si pensi a questo passo, di tono wittgensteiniano:

L'uomo senza la cognizione di una favella, non può concepire l'idea di un numero determinato. Immaginatevi di contare trenta o quaranta pietre, senz'avere una denominazione da dare a ciascheduna, vale a dire una, due, tre, fino all'ultima denominazione, cioè trenta o quaranta, la quale contiene la somma di tutte le pietre, e desta un'idea che può essere abbracciata tutta in uno stesso tempo dall'intelletto e dalla memoria, essendo complessiva ma definita ed intera. Voi nel detto caso non mi saprete dire, né concepire in nessun modo fra voi stesso la quantità precisa di dette pietre; perché quando siete arrivato all'ultima per sapere e concepire detta quantità, bisogna che l'intelletto concepisca, e la memoria abbia presenti in uno stesso momento, tutti gli individui di essa quantità, la qual cosa è impossibile all'uomo. Neanche giova l'aiuto dell'occhio, perché volendo sapere il numero di alcuni oggetti presenti, e non sapendo contarli, è necessaria la stessa operazione simultanea e individuale della memoria. E così se tu non sapessi fuorché una sola denominazione numerica, e contando non potessi dir altro che uno, uno, uno; per quanta attenzione vi ponessi, alfine di raccogliere progressivamente, coll'animo e la memoria, la somma precisa di queste unità, fino all'ultimo; tu saresti sempre nello stesso caso. Così se non sapessi altro che due denominazioni ecc. [...] (*Zibaldone*, 361, 28 novembre 1820).

Oppure si veda quest'altro punto dello *Zibaldone,* dove si considerano, secondo una concezione che oggi troviamo sviluppata e approfondita in Bachtin, gli effetti positivi del plurilinguismo sull'ampliamento concettuale e l'approfondimento critico, evidenziando in tal modo un'altra possibilità di utilizzazione della conoscenza di una lingua straniera oltre a quella per scopi comunicativi (v. capitolo precedente):

Il posseder più lingue dona una certa maggior facilità e chiarezza di pensare seco stesso, perché noi pensiamo parlando. Ora nessuna lingua ha forse tante parole e modi da corrispondere ed esprimere tutti gl'infiniti particolari del pensiero. Il posseder più lingue e il potere perciò esprimere in una quello che non si può in un'altra, o almeno così acconciamente, o brevemente, o che non ci viene così tosto trovato da esprimere in un'altra lingua, ci dà una maggiore facilità di spiegarci seco noi e d'intenderci noi medesimi, applicando la parola all'idea che senza questa applicazione rimarrebbe molto confusa nella nostra mente. Trovata la parola in qualunque lingua, siccome ne sappiamo il significato chiaro e già noto per l'uso altrui, così la nostra idea ne prende chiarezza e stabilità e consistenza e ci rimane ben definita e fissa nella mente, e ben determinata e circoscritta. Cosa che io ho provato molte volte, e si vede in questi pensieri scritti a penna corrente, dove ho fissato le mie idee con parole greche francesi latine, secondo che mi rispondevano più precisamente alla cosa, e mi venivano più presto trovate. Perché un'idea senza parola o modo di esprimerla, ci sfugge, o ci erra nel pensiero come indefinita e mal nota a noi medesimi che l'abbiamo concepita. Colla parola prende corpo, e quasi forma visibile, e sensibile, e circoscritta (ivi, 95, 8 gennaio 1820).

Almeno un accenno merita infine la riflessione leopardiana sulla scrittura, che, se da una parte riecheggia motivi rousseauiani (la scrittura, come la moneta, è una delle cause principali dell'oppressione sociale, del dispotismo, della servitù, della "gravitazione delle une classi sulle altre": v. ivi, 1714), dall'altra soffermandosi sul rapporto fra segno fonico e segno grafico, affronta una problematica che solo recentemente verrà presa in considerazione, dato che anche la linguistica moderna, da Saussure a Chomsky, ha dedicato alla scrittura ben poca attenzione (cfr. Derrida 1967a).

Si trova anche in Leopardi il pregiudizio, abbastanza diffuso, della scrittura come significante secondario che si limita a rappresentare le parole, e solo attraverso di esse le idee e, sentimenti: la scrittura "deve rappresentare le parole coi segni convenuti, e l'esprimere e il suscitare le idee e i sentimenti, ovvero i pensieri e gli affetti dell'animo, è ufficio delle parole così rappresentate" (ivi, 976, 22 aprile 1821). In base a ciò, egli critica l'impiego della scrittura in certe espressioni letterarie, soprattutto del romanticismo, in cui essa vuole rappresentare direttamente le cose e le idee, anziché le parole:

> Che è questo ingombro di lineette, di puntini, di spazietti, di punti ammirativi doppi e tripli, che so io? [...] Non c'è meraviglia dove non c'è difficoltà. E che difficoltà nell'imitare in questo modo? Che difficoltà nell'esprimere il calpestio dei cavalli col *trap trap trap*, e il suono de' campanelli col *tin tin tin* come fanno i romantici? (*ibidem*).

Ma il discorso leopardiano sulla scrittura diviene particolarmente interessante e ricco di valide intuizioni là dove sono esaminati i rapporti fra scrittura e norma linguistica, fra scrittura e sviluppo e diffusione di una lingua; anzi a questo proposito Leopardi abbandona la concezione del carattere estrinseco e puramente strumentale della scrittura rispetto al significato, in quanto questo non è più concepito come qualcosa di bell'e pronto nella parola che la scrittura si limiterebbe a rappresentare. Anziché essere un significante secondario di significati già realizzati nella lingua, la scrittura concorre all'estensione semantica della lingua, al suo arricchimento di parole specializzate per esprimere significati diversi, all'accrescimento dei significati di una stessa parola, alla stabilizzazione del rapporto fra "suono significante" (v. ivi, 1265) e idea, alla determinazione dell'uso e della comprensione di metafore e traslati, oltre che alla diffusione dei significati, allo sviluppo delle strutture sintattiche e alla realizzazione di pensieri complessi, a livelli alti di astrazione. La scrittura contribuisce essa stessa alla formazione e allo sviluppo dei segni fonici di una lingua complessa:

> Le parole che per se stesse sono meri suoni, e così le lingue intere, in tanto sono segni delle idee, e servono alla significazione, in quanto gli uomini convengono scambievolmente di applicarle a tale e tale idea, e riconoscerle per segni di essa. Ora il principal mezzo di questa convenzione umana, in una società alquanto formata, è la scrittura. Le lingue che o mancano o scarseggiano di questo mezzo di convenzione per intendersi, e spiegarsi distintamente ed esprimere tutte le cose esattamente, restano sempre o affatto impotenti, o poverissime, e debolissime; e così accade a tutte le lingue finché non sono estesamente applicate alla scrittura (1202, 22 giugno, 1821).

Il collegamento con la scrittura comporta la superiorità di una lingua rispetto al dialetto, che ne è privo. Deve però trattarsi di scrittura pubblica e non privata (il che presuppone la diffusione dell'alfabetizzazione), quale si realizza nella letteratura, nel senso ampio del termine, e in particolare in una letteratura non separata dalla lingua parlata:

> Trattandosi di arricchire, accrescere, regolare, ordinare, perfezionare e in qualunque modo migliorare una lingua già parlata da una nazione, dove la convenzione che deriva dall'uso è lentissima, difficilissima, e per lo più parziale e diversa, il principale e forse l'unico mezzo di convenzione universale (senza cui la lingua comune non può ricevere né miglioramento né peggioramento), è la scrittura, e fra le scritture quella che: 1. va per le mani di tutti, 2. è conforme nei suoi principii, e nelle sue regole, vale a dire la letteratura largamente considerata. Perché la scrittura non letterata e non importante in qualunque modo per se stessa, come lettere, cioè epistole, ecc., ecc., è soggetta quasi agli stessi inconvenienti della viva voce, cioè si comunica a pochi (forse meno di quelli a cui si comunica la voce di un individuo) e non è uniforme né costante nelle sue qualità. Insomma si richiede un genere di scrittura che sia nazionale, e possa produrre, stabilire, regolare e mantenere la convenzione universale circa la lingua (ivi, 1204).

Interessato anche a problemi di linguistica storica e di tipologia delle lingue ("la storia delle lingue è poco meno che la storia della mente umana": ivi,

1134) e al corrente degli studi condotti in Germania relativamente a questi campi soprattutto in seguito alla rivoluzione francese che, nella descrizione e tipologia delle lingue, erano pervenuti alla scoperta di rapporti fra il sanscrito e le maggiori lingue europee, Leopardi non incorse mai in certe ingenuità, dovute soprattutto all'influenza dell'idealismo e al clima nazionalistico, già riscontrabili invece in studiosi tedeschi a lui contemporanei che si occuparono della determinazione dei rapporti di discendenza fra le lingue. Si pensi alla ricerca della lingua originaria, secondo teorie monogenetiche o plurigenetiche, o alla concezione della gerarchizzazione delle lingue in base al grado di degenerazione a partire dalla perfezione della lingua originaria (si veda, sotto questo riguardo, soprattutto *Sul linguaggio e la saggezza dell'India* di Fr. Schlegel).

Inoltre, collocandosi nella linea di sviluppo della riflessione sul linguaggio che trova avvio con Locke e Condillac, Leopardi non ne accetta gli orientamenti geometrizzanti, presenti nello stesso Condillac quando (in *La langue des calculs*) considera l'algebra come linguaggio perfetto e come modello di ciò che dovrebbe essere ogni linguaggio. Leopardi evidenzia invece la coesistenza, nelle lingue, di razionale ed empirico, di universale e particolare, di esattezza e vaghezza, di letterale e letterario, di geometrico e di poetico, che pure Condillac aveva ammesso, quando si era tenuto lontano dal sogno di una lingua perfetta somigliante, per la sua chiarezza e precisione, al linguaggio dell'algebra (v. Rosiello 1967 e Salvucci 1982).

Infine, considerata rispetto al dibattito sulla lingua che si svolgeva in Italia nel primo Ottocento fra classicismo e romanticismo, la riflessione linguistica di Leopardi appare ben distante, per complessità e ampiezza di orizzonte, non solo, evidentemente, dalle anguste concezioni di puristi estremamente conservatori, come Antonio Cesari, ma anche dalle posizioni più moderne rappresentate dall'antipurismo di Vincenzo Monti, dagli studi storici di Ugo Foscolo sulle istituzioni linguistico-letterarie italiane e dal purismo moderato e "patriottico" di Pietro Giordani. Sotto questo riguardo, cioè limitatamente all'Italia, la riflessione leopardiana si spinge in avanti al punto da anticipare in qualche modo le posizioni linguistiche di Graziadio Isaia Ascoli di fronte ai problemi linguistici dell'Italia unita (v. De Mauro 1980: 53-61), problemi rispetto ai quali si rivelerà illusoria anche la proposta linguistica manzoniana.

II.
ESEMPI DI LETTURA DI TESTI DELLA LETTERATURA ITALIANA

1.
Il significato nuovo dell'insegnamento della letteratura italiana

Fino a tempi non molto lontani, la non coincidenza in Italia fra lingua materna e lingua nazionale, tanto più forte quanto più indietro si risale negli anni che seguono all'unificazione nazionale, ha fatto sì che l'insegnamento della letteratura venisse visto in funzione della compensazione di questo divario e dell'apprendimento di quella che sarebbe dovuta essere la lingua materna e di fatto non lo era: potremmo parlare in tal senso di un "carattere materno-compensativo" dell'insegnamento tradizionale della letteratura.

Questo compito "materno-compensativo" dell'insegnamento della letteratura, in quanto funzionale all'unificazione linguistica, ha fatto apparire l'insegnamento della letteratura come educazione al monolinguismo.

Di conseguenza, gran parte degli orientamenti rivolti a un rinnovamento della programmazione didattico-educativa e in particolare dell'insegnamento dell'italiano, in connessione a una ridefinizione dell'educazione linguistica, hanno considerato il ridimensionamento della presenza del "linguaggio letterario" nella scuola come una delle condizioni del superamento del monolinguismo della scuola italiana.

Il carattere prevalentemente scritto e letterario originariamente presentato dalla lingua nazionale italiana e il fatto che essa venisse soprattutto appresa a scuola attraverso le pratiche della scrittura e della lettura hanno fatto sì che il superamento dell'insegnamento tradizionale dell'italiano a favore di un'educazione linguistica che tenesse conto del plurilinguismo interno (linguaggio scritto e linguaggio orale, linguaggio colloquiale, linguaggio formale, tecnologico, letterario, politico, burocratico, pubblicitario, scientifico, ecc.) via via affermatosi in concomitanza ai fenomeni di urbanizzazione, di industrializzazione, di sviluppo delle comunicazioni di massa, ecc., venisse inteso come superamento del monopolio tenuto, nell'insegnamento linguistico, dal linguaggio letterario.

L'"antiparlato", il "parlare come un libro stampato", l'"ipercorretivismo" che caratterizzavano l'insegnamento tradizionale dell'italiano risultavano connessi all'assunzione della scrittura, identificata con la scrittura letteraria, come modello della produzione linguistica e come criterio di misurazione della competenza linguistica.

D'altra parte, la necessità di fare spazio all'educazione scientifica e quindi ad altri linguaggi oltre a quello letterario ha contribuito anch'essa all'identificazione del monolinguismo della scuola tradizionale con il linguaggio letterario e l'insegnamento della letteratura.

Oggi, invece, ci sono le condizioni per una riconsiderazione del significato dell'insegnamento della letteratura ad un livello più generale, che riguardi cioè la scrittura letteraria e la lettura del testo letterario in quanto tali, in maniera non vincolata alla particolare situazione linguistica nazionale che ha dato all'insegnamento della letteratura una connotazione monolinguistica.

In questa direzione possono essere fatte le seguenti considerazioni che riguardano 1) il contributo dello studio della letteratura all'insegnamento della lettura del testo; e 2) le implicazioni didattico-linguistiche dell'approccio al testo letterario considerato nella sua specificità.

1) L'insegnamento della letteratura è insegnamento della lettura, ne fa parte, e come tale implica la riflessione sulle pratiche di accostamento al testo e in primo luogo sullo stesso significato di "testo". Riprendiamo dunque quanto abbiamo detto a proposito della lettura del testo (v. sopra, I. 2) riconsiderandolo in rapporto alla didattica della letteratura.

Il carattere unitario del testo e il fatto che esso sia una unità qualitativamente diversa rispetto a quella delle parti che lo compongono (discorsi, enunciazioni e, a livello più astratto, frasi, monemi) comportano che il suo significato non possa essere compreso attraverso esercizi di lettura che riguardino le unità meno complesse di cui è composto (e di cui non è la mera somma), ma attraverso esercizi di lettura del testo stesso.

Inoltre il carattere intertestuale del significato del testo, il fatto cioè che esso non sia situato in maniera isolata e fissa *nel* testo della scrittura, ma *tra* il testo della scrittura e quello della lettura, e consista nel rapporto aperto fra interpretato e interpretante, conferisce alla lettura il carattere di *ri-scrittura*.

Il testo della lettura (qui intesa evidentemente non come "sonorizzazione" della scrittura, ma come comprensione rispondente, come battuta del rapporto dialogico intertestuale in cui il significato del testo si costituisce) non può essere il duplicato di quello della scrittura: esso se ne differenzia, tanto più quanto più complessa è la scrittura (complessa sul piano semantico-ideologico) e quanto più esplicativa, comprensiva e rispondente è la lettura. In quanto segno interpretante, il testo della lettura ha con quello della scrittura un rapporto di alterità e non di identificazione: potremmo parlare di un "grado zero della lettura" che è l'identificazione, la ripetizione, e indicare via via livelli di distanziamento e di diversificazione relativi alla complessità testuale. La parola della lettura è parola riflettente, oggettivante, un'altra parola. E il distanziamento dal grado zero della lettura è evidenziato dal passaggio della parola della lettura da parola diretta a parola indiretta. Leggere è muoversi fra due testi diversi, tanto più diversi quanto più la lettura si differenzia dall'espressione diretta, dalla parola direttamente riportante, dalla citazione, dalla parafrasi, dal commento passivo.

L'intertestualità della lettura (relazione fra testo di scrittura e testo di lettura, relazione fra il testo di scrittura e i testi del suo contesto ideologico-culturale, relazione fra i diversi testi della lettura nel cui contesto si situa una determinata posizione di lettura, ecc.) conferisce all'esercizio della lettura il carattere di una pratica plurilinguistica e polilogica – soprattutto quando essa riguarda le opere letterarie, che "vivono in un tempo grande" (secondo l'espressione di Bachtin volta ad indicare lo spessore ampio della loro significanza e la loro eccedenza rispetto agli interpretanti inerenti al loro contesto storico-culturale di appartenenza).

La lettura inoltre non è riducibile a un'attività conoscitiva, e i suoi presupposti non sono confinabili in una riflessione epistemologica. Essa è una *pratica dialogica*, che, come ogni effettiva comunicazione interpersonale, si basa sul rapporto di alterità; tale rapporto va da livelli di relativa vicinanza a quel "reciproco trovarsi fuori" cronotopicamente, che, come mostra Bachtin, anziché impedire la comprensione del testo, favorisce la presenza nel testo della lettura, di interpretanti adeguati al testo della scrittura, capaci di trovarvi sensi e dimensioni di cui lo stesso "Autore" e i suoi stessi contemporanei non erano consapevoli.

2) Sia che ci si occupi di scienze del linguaggio o di teoria della letteratura, sia che si insegni lingua o si insegni letteratura, sia che si parli o che si producano testi scritti che rientrino, per il genere discorsuale che impiegano, nel

campo della "letteratura", si adopera in ogni caso lo stesso materiale, *il linguaggio*. Qual è dunque il rapporto fra tutte queste pratiche, se le si considera rispetto al modo in cui ciascuna si atteggia nei confronti del linguaggio?

Vi sono parole e scritture accomunate dal fatto che tendono a uno scopo, esprimono un punto di vista, sono imputabili al soggetto che parla o che scrive e lo caratterizzano in una certa posizione, in un certo ruolo: informare, persuadere, prescrivere, comandare, nominare, dichiarare (atti illocutivi e perlocutivi). Questi tipi di parola o di scrittura sono assoggettati alle categorie della coerenza, responsabilità, impegno, non-contraddizione, verità. Colui che parla o scrive è impegnato nella propria parola o nella propria scrittura. In queste pratiche verbali ciò che conta è il contenuto; il significante è in funzione del significato. Vi domina perciò la tendenza verso la precisione discorsuale, la chiarezza, l'univocità, la comunicazione diretta.

Vi sono parole che riescono a sottrarsi al loro essere utili in funzione di uno scopo, in funzione di un significato che vi presista e che le determini, parole che non dicono niente: "Pronto, mi senti? /Sì, dimmi. / Niente! Volevo solo sentirti!"; "Come stai?"; "Hai visto che bella giornata?". Si dice *niente*, il significante non è più al servizio di un significato; per questo diviene esso stesso oggetto d'attenzione, acquista materialità, corporeità, temperatura semiotica.

Alla funzione fàtica (Jakobson) gli studi linguistici hanno generalmente prestato poca attenzione; per questo essi sono di poco aiuto quando si tratta di contribuire alla lettura del testo letterario in cui, anche qui, il significante ha un ruolo preminente, in cui la descrizione (anche qui il parlare del tempo, il parlare di niente), la digressione divengono significativi, in cui il messaggio è ambiguo, anche quando la comunicazione sembra diretta, quando il discorso si autogiustifica, trova un pretesto (come nel caso della parola diretta: "Ti telefono per chiederti in prestito un libro", in cui l'altro legge "Niente! Volevo sentirti!"). Ma a differenza della parola, la letteratura può distanziare il discorso da chi lo produce: chi scrive non risponde della parola del discorso scritto.

Con Roland Barthes, possiamo chiamare *trascrizione* lo scrivere in cui il linguaggio è usato in funzione del significato, per sostenere una tesi, per dire il punto di vista di chi scrive; e *scrittura* quella letteraria, che, per quanto vincolata a poetiche dell'"impegno" e del "realismo", ha proprio in quanto letteratura, come strutturale al suo tipo di discorso, la possibilità dello sganciamento dalle categorie della coerenza, dell'impegno, della non-contraddizione, della responsabilità, della verità. Sapersi disimpegnare, capacità di evasione, disposizione al tradimento: tutto questo è proprio della letteratura anche se ciò non toglie che essa possa assoggettarsi – ma con il rischio di dar luogo a opere di propaganda politica, o religiosa, o di riflessione filosofica, ecc. – all'etica dell'impegno, della coerenza e della fedeltà (v. Ponzio 1999).

Ancora con Barthes, possiamo distinguere, in rapporto rispettivamente alla scrittura e alla trascrizione, fra *scrittori* e *scriventi*: dato che per lo scrittore il reale è sempre solo un pretesto, scrivere è un verbo *intransitivo*. Gli scriventi, invece, sono uomini *transitivi*; all'ombra di istituzioni quali l'Università, la Ricerca scientifica, la Politica, si pongono un fine (testimoniare, spiegare, insegnare) di cui la parola non è che il mezzo. Il linguaggio viene dunque ricondotto alla sua natura di strumento di comunicazione, di veicolo del "pensiero".

Nella scrittura si realizza la possibilità di dire senza essere identificato per colui che dice, senza identificarsi con ciò che si dice; e si realizza la possibilità di fare discorsi diversi, di sperimentare punti di vista diversi senza avere l'obbligo di scegliere fra loro, di unirsi monogamicamente con uno solo di essi. L'adesione al proprio discorso, a cui si è costretti tutte le volte che si dice "io", è sospesa nella letteratura. Il primato di un discorso che come il *mio* discorso si impone sugli altri possibili, e dice ciò che *io* avverto, e dice il *mio* modo proprio di parlare, il *mio* stile, è, nella letteratura, disattivato.

Nel parlare devo scegliere, esprimermi con proprietà, coerentemente al ruolo, alla situazione: il discorso dice chi sono, mi decido nel discorso: non solo per altri, ma anche per me stesso; non solo nel discorso esterno, ma anche in quello interno che costituisce la *mia* coscienza, la *mia* ragione, quello che orienta e programma le mie azioni, dà *un senso*, una direzione, una continuità, una memoria ai miei vissuti, li situa in *una storia*. La letteratura realizza lo *scollamento* dal discorso: non aderisco all'io che parla; lo scrittore e l'io del discorso sono separati; e l'unico impegno dello scrittore nel discorso sta nel raffigurarlo (Bachtin), nel mettere in scena questa separazione. Lo scrittore parla *come se,* come se fosse tale o tal altro soggetto, non da un tal soggetto *che è*. La letteratura costituisce così uno spazio della disubbidienza all'"Ordine del Discorso" (Foucault 1970), il quale impone l'adesione di colui che parla all'io dell'enunciazione.

Spesso lo studio e l'insegnamento della letteratura divengono il luogo discorsuale della rivalsa della trascrizione sulla scrittura. Le categorie stesse di "storia", di "autore", di "sviluppo artistico" o di "involuzione artistica", di "stile dell'autore", di "significato oggettivo del testo", come pure le letture volte a giustificare e a spiegare il testo contestualizzandolo nella vita dell'autore, nella *sua* ideologia, nella *sua* situazione storico-culturale, nella *sua* psicologia, nella *sua* collocazione sociale, sono funzionali a questo riconducimento della molteplicità incoerente delle voci raffigurate nel testo letterario all'unità discorsuale in regola l'Ordine del Discorso. Foucault ha mostrato come il *Commento* e l'*Autore* facciano parte dell'Ordine del Discorso. E Barthes (1966) ha evidenziato il paradosso della Scienza della letteratura, in cui il rapporto fra il linguaggio scientifico e il linguaggio letterario, tra trascrizione e scrittura, è paragonabile a quello di un guardiano con il suo prigioniero.

Che cosa fare *dal punto di vista della letteratura* di fronte alla scienza della letteratura che vorrebbe ridotto lo squarcio fra scrittore e la sua opera, fra le sue singole opere, e leggervi sviluppo, crescita, maturazione o involuzione, perdita, insomma *una* storia; che vorrebbe ritrovare nel plurilinguismo un unico linguaggio, nel plurilogismo un'unica logica, e un'unica ideologia come punto di riferimento, se non come oggetto di fede, di tutti i discorsi della scrittura dell'autore; che vorrebbe trovare in essi *uno* stile comune, *lo stile peculiare dello scrittore*, e trovare la situazione che li motivi tutti e li renda "sensati"? Al punto di vista che cerca l'unità nella molteplicità, l'alternativa è il punto di vista della letteratura stessa, che è quello della pluridiscorsività e plurivocità. Considerare la letteratura, dialogare con essa, senza ridurla al punto di vista monologico: la "metalinguistica" di Bachtin (1963, 1959-61, 1970-71) stabilisce con la letteratura questo rapporto di rispetto della sua "alterità", considerandola dal punto di vista della pluridiscorsività dialogizzata che la stessa letteratura, in particolare il romanzo, il "romanzo polifonico", è riuscita a raffigurare; e in ciò la metalinguistica supera i ristretti confini di quegli orientamenti delle scienze linguistiche che, come dice Bachtin (1975, trad. it.: 81), "nate e formatesi nell'alveo delle tendenze centralizzanti della vita linguistica, ignorano questa pluridiscorsività dialogizzata, incarnante le forze centrifughe della vita linguistica". Così orientato l'insegnamento della letteratura avvia all'incontro con l'alterità plurivoca e pluridiscorsiva del testo letterario.

La scrittura letteraria realizza spazi di insubordinazione nei confronti dell'Ordine del Discorso, quale si manifesta da una parte negli stereotipi e nelle ripetizioni, propri della quotidianità discorsuale e connessi ai ruoli e le alle gerarchie sociali, professionali, alle adesioni ideologico-confessionali, ecc., e, dall'altra, in altri generi discorsuali in cui il linguaggio è univocamente orientato verso un obiettivo determinato, che gli conferisce un carattere monologico: conoscere, informare, persuadere, ecc.

In quanto strutturalmente contestativa del primato del significato sul significante, la letteratura mette in crisi l'unidirezionalità dei discorsi dominanti, costituisce un'alternativa alla loro monoliticità, alla loro tendenza linguisticamente unificante, centripeta. Nella letteratura il linguaggio verbale non è più utilizzato, ma mostrato, raffigurato, messo in scena; l'io del discorso può separarsi dall'io dello scrittore; la fabula (il contenuto, il che cosa, il messaggio) passa in secondo piano rispetto all'intreccio (la forma, il come, il significante), assumono rilevanza la divagazione, la digressione, ecc.

Nei campi discorsuali in cui il discorso è in funzione del significato, domina la tendenza verso la semplicità discorsuale, la chiarezza, l'univocità, la comunicazione diretta, il monolinguismo, sia pure un monolinguismo relativo, cioè interno a determinati campi discorsuali, settoriali, specialistici, professionali, gergali, ecc. Di questi campi discorsuali in cui domina l'ideologia del primato del significato fa parte la stessa scienza della letteratura, ivi comprese la critica letteraria e la storia della letteratura.

Diversamente dagli altri tipi di scrittura, quella letteraria afferma l'irriducibilità della scrittura a semplice rivestimento, a semplice mezzo di espressione di un contenuto, di un significato preesistente.

Tutt'altro che interessata all'univocità dei segni, per cui essi alla stregua di segnali realizzino nella maniera più diretta e meno rischiosa il passaggio di significati da un emittente a un ricevente, essa spiazza l'identità, l'univocità, la ripetizione, contrasta le tendenze centripete, unificanti, subalterne all'Ordine del Discorso.

La letteratura si rivela dunque tutt'altro che funzionale al monolinguismo e al monologismo.

Si comprende allora come l'insegnamento della letteratura possa inserirsi in un progetto di formazione linguistica intesa come educazione al plurilinguismo e al plurilogismo; a meno che esso, anziché orientarsi secondo la stessa tendenza della letteratura, non si orienti nel senso di una scienza della letteratura dal linguaggio anti-letterario, funzionale all'ideologia del primato del significato e alle categorie della verità, dell'obiettività, della non-contraddizione.

Come insegnamento della lettura, come avviamento all'intertestualità, l'insegnamento della letteratura diviene educazione alla pluridiscorsività dialogizzata della scrittura letteraria incarnante le forze centrifughe della vita linguistica; introduce al piacere dell'alterità plurivoca e pluridiscorsiva: il piacere del testo, il testo amato, goduto come altro-così-come-è.

Finzione di un individuo (sorta di M. Teste alla rovescia) che abolisca in sé le barriere, le classi, le esclusioni, non per sincretismo ma per semplice liberazione da un vecchio spettro: *la contraddizione logica*; che mescoli tutti i linguaggi, anche se ritenuti incompatibili, che sopporti, muto, tutte le accuse d'illogicità, d'infedeltà; che resti impassibile davanti all'ironia socratica (condurre l'altro al supremo obbrobrio: *contraddirsi*) e al terrore legale (quante prove penali fondate su una psicologia dell'unità!). Quest'uomo sarebbe l'abiezione della nostra società: i tribunali, la scuola, l'ospizio, la conversazione, ne farebbero uno straniero: chi sopporta la contraddizione senza vergogna? Ora, questo controeroe esiste: è il lettore di testo, nel momento in cui prende il suo piacere (Barthes 1973, trad. it.: 5).

2.
La Commedia della luce: il Paradiso di Dante

> L'anima esposta al fuoco solstiziale,
> Sostengo la giustizia eccezionale
> Tua, o luce, in armi che non han pietà.
> Pura, io ti rendo ove ti si produce:
> Guardati!... Ma rendere la luce
> Suppone d'ombra una cupa metà.

(Paul Valéry, *Il cimitero marino*, trad. it. 1999 : 134)

"Fissa con gli occhi stava; ed io in lei / Le luci fissi [...] Trasumanar significar per verba / Non si porìa [...]" (Dante, *Paradiso*, I, 65-66). Guardare la scrittura letteraria che guarda, rivolgere lo sguardo al suo sguardo, in modo che "della letteratura" nell'espressione "critica della letteratura" divenga un genitivo soggettivo: questo il proposito di questa e delle altre letture che qui proponiamo.

Come guarda le cose la scrittura letteraria? Le guarda in maniera indiretta, con la coda dell'occhio. E ciò le permette di usare la lingua per uscire dai limiti del mondo con cui esso coincide, di uscire dalla sfera dell'essere-così, dall'ordine del discorso, dall'ontologia: "Trasumanar" *per verba* ; anche se "Trasumanar significar per verba non si porìa".

Nel *Paradiso* Dante ha il difficile compito di parlare della luce: la luce divina, che, diffusa in tutto l'universo, risplende massimamente nell'Empireo, il cielo più luminoso di tutti, fatto di pura luce. La sua poesia deve descrivere ciò che nella sua ascensione ha visto, rendere con le parole l'"ombra del beato regno" segnata nella sua mente: "che l'ombra del beato regno / segnata nel mio capo io manifesti", I, 23).

Il *Paradiso* è appunto la *commedia* della luce divina, la *manifestazione* dell'*ombra* della luce.

L'ascesa verso il Paradiso inizia con lo sguardo rivolto alla luce più forte che sulla Terra sia possibile vedere, cioè la luce del sole. Dante, derivando da Beatrice il movimento del suo sguardo verso l'alto, fissa intensamente gli occhi nel sole, la cui luce riesce a sopportare al di là di quanto possa fare un essere umano. Solo l'aquila, secondo i bestiari medievali, può riuscire a sostenere così la vista del sole. Ma Dante non si accorge che, mentre fissa il sole, non è più sulla Terra; si è invece innalzato verso di esso con la velocità della folgore. Ciò che avverte è lo sfavillare del sole, come ferro che incandescente esce dal fuoco, e l'aumentare della luce, come se "giorno a giorno" (I, 61) si fosse aggiunto, come se un secondo sole splendesse nel cielo. Questa l'esperienza sensibile. L'esperienza interiore è invece il "trasumanar" (I, 70), l'innalzarsi al di là dei limiti della natura umana, che non si può esprimere con le parole.

L'ascesa è verso la luce e nella luce. Non ci sono altri mezzi per dire questo movimento, che quello di descrivere l'aumento della luminosità. E ciò si ripeterà per l'intero viaggio di ascensione di Dante.

Gli occhi hanno un ruolo centrale in questo movimento: gli occhi di Dante fissano Beatrice che fissa il sole, e si rivolgono anch'essi verso il sole. L'ascensione fino al cielo della luna si conclude mentre Dante guarda Beatrice che guarda in alto ("Beatrice in suso, e io in lei guardava", II, 22). L'ascensione avviene guardando direttamente o indirettamente la luce.

Come dire dell'arrivo al cielo della luna? Ancora una volta con riferimenti alla luce. Dante e Beatrice penetrano come raggi di luce nella sostanza lunare, che perciò resta immutata. La sostanza lunare viene descritta come luminosa, fitta, compatta e tersa come diamante esposto ai raggi del sole. Essa ricevendo all'interno Dante e Beatrice resta compatta come prima, come fa l'acqua quando riceve un raggio luminoso.

La diversa luminosità dell'universo è l'unica espressione dell'ordine gerarchico del suo ordinamento. Ed essa non deriva dalla densità e rarità del corpo celeste, ma dalla diversa lega fra la diversa virtù delle intelligenze motrici di ciascun corpo celeste e quest'ultimo, con cui tale virtù si congiunge come la vita col corpo umano. Per dire questo Dante ricorre non solo a similitudini che riguardano la luce e tutto ciò in cui essa si rifrange o si esalta o si attutisce, o che essa attraversa: specchi, superfici d'acqua, vetri, gemme; ma si riferisce anche alla luce come luce degli occhi, come luce dell'anima che traspare attraverso lo sguardo, al brillare diverso della pupilla in rapporto allo stato d'animo. Per la natura lieta delle intelligenze motrici da cui deriva, la virtù di tali intelligenze, congiunta con il corpo celeste, "per lo corpo luce come letizia per pupilla viva" (II, 143-4).

La stessa confutazione che le macchie lunari, "li segni bui / di questo corpo", la luna (II, 49), siano dovute alla maggiore o minore densità delle sue parti, avviene con il ricorso a una esperienza che riguarda la luce: se la rarità della materia fosse la causa "di quel brumo", cioè delle macchie lunari, la luce del sole, nell'eclissi di sole, trasparirebbe nelle parti rare, come traspare la luce in un corpo il cui spessore presenta zone meno compatte e dense. E il corpo della luna che non lascia passare nell'eclissi di sole i suoi raggi suggerisce il paragone dello specchio: i raggi del sole non passano "così come color torna per vetro / lo qual di retro a sé piombo nasconde" (II, 89-90). Anche un esperimento che viene proposto a ulteriore sostegno della confutazione dell'erronea concezione delle macchie lunari fa ricorso agli specchi e al riflettersi in essi di un lume.

E in termini di luce viene presentato lo stesso effetto che sulla mente di Dante procurerà la vera spiegazione di questo fenomeno: "così rimaso, te ne l'intelletto / voglio informar di luce sì vivace, / che ti tremolerà nel suo aspetto" (II, 109-111). La "dolce guida" di Dante, Beatrice, è indicata come "lume", e il suo sorridere è ardere "ne li occhi santi" (III, 24); "dentro agli occhi suoi ardeva un riso" (XV, 34). Lei "fiammeggia nel caldo d'amore" (V, I), appare infiammata dell'amore divino, sì da vincere la capacità visiva di Dante. E rivolgendosi a Dante dice: "Io vedo ben sì come risplende / ne l'intelletto tuo l'etterna luce / che, vista, sola e sempre amore accende" (V, 7-9): la luce della Verità, che accende, essa soltanto e per sempre, l'amore verso di essa. Normalmente parliamo della verità in termini di luce e dell'amore come "ardente", come "acceso", e Dante valorizza queste espressioni metaforiche, oltre a quelle che in senso letterale si riferiscono alla luce, per poter affrontare la difficile materia della terza cantica, che solo il ricorso ad esse permette di trattare.

Il diverso grado di beatitudine delle anime del Paradiso è mostrato attraverso la loro distribuzione nei diversi cieli. Ma tale distribuzione non è che il modo con cui esse appaiono venendo incontro a Dante, perché tutte dimorano nell'Empireo (cfr. IV, 29-39). Invece, elemento di distinzione essenziale è la loro diversa luminosità, benché tutte "infiammate" dal desiderio della luce divina e tutte appagate dalla "verace luce". Il loro amore per Dio irradia intorno a loro una "vesta" luminosa; e lo splendore è proporzionato all'amore di ciascuna di esse, a sua volta proporzionato al grado della visione di Dio, la quale aumenta in rapporto alla Grazia divina che si aggiunge al merito di ciascuna.

Le anime meno luminose sono quelle che compaiono nel cielo della luna, e Dante per descrivere il loro essere fatte di luce tenue, debole, fa nuovamente ricorso alla similitudine di immagini riflesse "per vetri trasparenti e tersi, o ver per acque nitide e tranquille" (III, 10-1), o alla luminosità di pietre preziose: esse sono poco visibili come "perla in bianca fronte". Benché sia tenue la loro luce, nei loro "mirabili aspetti" "risplende un non so che divino" che li "trasmuta" dalle loro sembianze terrene (cfr. III, 58-60).

Va notato il contrasto fra l'indicazione dei beati con la parola comune "ombre", in quanto anime dei morti ("l'ombra che parea di ragionar più vaga", III, 34; "Con quell'altre ombre pria sorrise un poco", III, 67), e il loro esser fatte di luce. Ed è indicativo che il termine "ombra", usato in tal senso, non si trovi soltanto riferito alle anime dalla flebile luce che Dante incontra nel cielo più basso. Anche nel cielo di Mercurio, dove Dante incontra l'imperatore Giustiniano, le più di mille anime luminose che vengono incontro a Dante sono indicate come "ombre", benché, a mano a mano che sale verso l'Empireo, le parole che adopererà per indicare l'anima beata, saranno "lume", "fiamma", "stella", "luce" e non più "ombra"

Nel cielo di Mercurio, Dante dice che a mano a mano che ciascuno dei mille "splendori" si avvicinava, si scorgeva "l'ombra piena di letizia", di beatitudine, dentro la luminosità "che di lei uscia", emanava (V, 106-8). Si potrebbe dire che l'ombra sta ad indicare ciò che di umano e di individuale resta nei beati, che sono tutti luce; ed è dall'ombra che la luce deriva ed è da essa che dipende il grado diverso di luminosità, sia rispetto al loro diverso appagamento nella eguale beatitudine, sia rispetto allo stato di letizia che nell'incontro con Dante manifestano. In ciascuna delle anime del Paradiso, il centro da cui la luce si irradia è l'ombra individuale, ciò che resta dell'essere umano quale fu nella vita terrena. L'ombra è dentro lo splendore luminoso, tanto più nascosta quanto più risplende. Essa è resa invisibile, come Dante dice di Giustiniano (V, 133-5), dalla sua stessa luce, come il sole che non si lascia vedere per la sua eccessiva luminosità.

La "luce" di Carlo Martello, nel cielo di Venere, usa un'altra similitudine per dire questa strana condizione dell'essere celato dalla luce: "la mia letizia mi ti tien celato / che mi raggia dintorno e mi nasconde / quasi animal di sua seta fasciato" (VIII, 52-4).

I beati sono ombre luminose, sono luce dell'ombra. Del corpo resta l'ombra, per quanto luminosa l'anima sia.

Quest'idea del perdurare dell'ombra nella luce presenta delle affinità con l'argomentazione che Dante, nel VII canto, mette in bocca a Beatrice a sostegno della resurrezione del corpo umano, della resurrezione della carne. L'anima umana è incorruttibile, come gli angeli e il cielo, perché è infusa direttamente da Dio – che la "innamora di sé", sì che essa poi "sempre la disira" (VII, 143-4) –, a differenza de "l'anima di ogni bruto e de le piante" (V, 139), che è prodotta, invece, dal raggio e dal moto dei cieli come "forma" della "materia prima", materia costituita dagli elementi e dei loro composti, e che dunque è corruttibile. Ma "l'umana carne" fu anch'essa creata direttamente da Dio, e dunque, malgrado la sua terrena corruttibilità, è destinata alla resurrezione.

Il tema della resurrezione del corpo con diretto riferimento al suo rapporto con la luce viene ripreso nel canto XIV (37-66), dove, nel cielo del Sole, Salomone spiega quale sarà la luminosità dei beati dopo la resurrezione dei corpi. La resurrezione della carne restituirà ai beati, con l'unione di corpo e anima, la loro interezza, e ciò farà aumentare la loro luminosità, poiché si accrescerà il dono della Grazia illuminante, si accrescerà la visione di Dio e quindi l'ardore che ne scaturisce. Questo aumento di luminosità dovrebbe accrescere l'invisibilità dell'"ombra" da cui essa si irradia, rendere irriconoscibile ciascun beato nella sua singolarità. Invece Dante – e ciò ci sembra particolarmente interessante per comprendere la sua concezione del rapporto corpo/luce – attribuisce al corpo risorto una intensità di luce superiore a quella che intorno a lui si irradia: come un carbone che sprigiona fiamma e per la sua viva incandescenza supera in luminosità la fiamma stessa, sì che il suo aspetto non si lascia offuscare da essa, così questo fulgore che già ci circonda, dice Salomone, sarà vinto in intensità di luce dal corpo. Il ricongiungimento col corpo restituirà all'ombra la sua piena visibilità nella luce che da essa si sprigiona.

Ma anche la flebile luce delle anime del cielo della luna non è che la loro condizione generale: per far loro esprimere un particolare stato d'animo di letizia, di appagamento, Dante fa ciascuna di loro capace di risplendere intensamente, come nel caso di Piccarda Donati, "ch'arder parea d'amor nel primo foco" (III, 69).

Il parlare comune consente di dire in questi termini degli stati d'animo, facendo ricorso a verbi come "accendersi", "infuocarsi", "risplendere", e ad espressioni come "luce dello sguardo", "luce interiore" che si "riflette negli occhi", "sguardo ardente" (abbiamo già visto come Dante faccia ricorso a queste epressioni per le sue similitudini). Potremmo dire che queste espressioni metaforiche divengono letterali nel linguaggio del *Paradiso*, come quando Dante dice che Beatrice così "folgorò nel mio sguardo" (III, 128) da non permettergli di sopportare questo suo risplendere. E tuttavia, per quanto prese alla lettera, esse, avverte Dante, rendono solo parzialmente l'idea della vera luminosità del regno della luce. Per quanto egli cerchi di raffigurarlo con immagini di luce e per quanto il lettore possa accendere il testo soffiandovi con la sua immaginazione, ciò che si ottiene è solo l'ombra della luce divina, anzi "quasi l'ombra" (XIII, 19), un'immagine tenue. Ecco, come abbiamo detto all'inizio, il carattere del *Paradiso* come *commedia* della luce.

Abbiamo visto come l'ombra, nel senso di anima separata dal corpo, sia luce. L'ombra paradossalmente è luminosità. A questa luce di provenienza divina fa contrasto, nel *Paradiso*, un'altra luce: la luminosità (apparente, ingannatrice) della vita mondana, rispetto alla quale il velo monacale può essere indicato in termini di "ombra", "l'ombra de le sacre bende" (il riferimento è Costanza: cfr. III, 114). Esso infatti produce ombra non solo in senso fisico (il velo fa ombra al viso), ma anche in senso spirituale, in quanto offre riparo dalla vita mondana. Sicché quando Piccarda Donati mostra Costanza a Dante, mentre ne parla come "splendore" che "s'accende di tutto il lume" del cielo della luna, usa il termine "ombra" per indicare il riparo offerto dal velo monacale evidentemente non rispetto a questa luce, ma alla luce in senso letterale e soprattutto, con riferimento alla vita mondana, in senso metaforico.

Il contrasto fra l'interesse per le cose mondane e la distanza da esse in cui si trova Dante con Beatrice, ormai ascesi nel cielo del Sole, viene espressa nell'inizio del Canto XI: "O insensata cura de' mortali, / quanto son difettivi silogismi / quei che ti fanno in basso batter l'ali! / Chi dietro a *iura* e chi ad aforismi / sen giva e chi seguendo sacerdozio, / e chi regnar per forza o per sofismi, / e chi rubare e chi civil negozio, / chi nel diletto della carne involto / s'affaticava e chi si dava all'ozio, / quando, da tutte queste cose sciolto, / con Bëatrice m'era suso in cielo / cotanto glorïosamente accolto" (XI, 1-12). Quest'inizio, dove l'effetto dell'anafora ben drammatizza il contrasto fra le ambizioni mondane e il distacco dalle vanità terrene, è la giusta "ouverture" alla narrazione della vita di san Francesco, a sua volta introdotta da una metafora concernente la luce: Francesco è un "sole" tale che chi, parlando del luogo dove è nato, dicesse semplicemente Ascesi (Assisi), meglio direbbe e più propriamente, se dicesse Oriente (XI, 52-4).

Il distacco dal falso splendore mondano nella beata luce del Paradiso è occasione del ripensare con nostalgia alla vita tranquilla, onesta e sobria, al "così riposato" e "bello viver di cittadini", a "così fida cittadinanza, a così dolce ostello" (XV, 130-2), della Firenze ancora compresa nella prima cinta muraria, che Dante tratteggia, facendola descrivere dal suo antenato Cacciaguida, per contrasto alla Firenze della rivoluzione economica e sociale del secolo XIII, caratterizzata dallo spirito mercantile, dall'intraprendenza e spregiudicatezza della sorgente borghesia, dall'urbanesimo, dalla curruzione e dalla cupidigia, dall'idolatria del denaro, dallo stravolgimento dei valori civili e umani.

Nel cielo del sole, le anime dei sapienti sono così lucenti per la loro stessa luce che, nella luce solare, risultano ben visibili e non per diversità di colore, ma proprio per intensità (cfr. X, 40-42).

Il risplendere e il fiammeggiare, l'irraggiare luce, sono nel *Paradiso* generalmente collegati con la gioia, con l'amore ed anche con il riso: "Quell'altro fiammeggiar esce dal riso / di Grazïan" (X, 103-104). Dio medesimo è "somma Luce" (XXXIII, 67-68) e le cose corruttibili e le cose incorruttibili non sono che "splendore" (XIII, 53) della sua viva luce piena d'amore (XXXIII, 140), che arde d'amore. La luce è espressione della beatitudine del Paradiso, come il riso è espressione di letizia sulla Terra. La luce è perciò il riso delle anime dei beati, come manifestazione di appagamento di ogni desiderio nell'amore divino.

Si comprende perciò che Dante possa usare riso per luce, ma anche viceversa. E non solo per riferirsi a essere umani, come quando descrive, ad esempio, Cacciaguida come "chiuso e parvente del suo proprio riso" (XVII, 36), avvolto eppure visibile nella sua luce gioiosa; ma anche per parlare della luce dei cieli. Così innalzandosi al cielo di Marte, Dante dice: "Ben m'accors'io ch'io era più elevato, / per l'affocato riso de la stella" (XIV, 85-86), cioè per l'incandescente sfavillio del pianeta. E quando è giunto ormai al cielo delle stelle fisse, da dove può volgere indietro lo sguardo e abbracciare tutte e sette le sfere dei pianeti e sorridere del "vil sembiante della Terra", "l'aiuola che ci fa tanto feroci" (XXII, 135, 151), Beatrice gli dice: "Apri li occhi e riguarda qual son io; tu hai vedute cose, che possente / se' fatto a sostener lo riso mio" (XXXIII, 46-8).

A mano a mano che Dante sale verso l'Empireo, il suo compito di descrivere ciò che vede diventa sempre più difficile. E ciò avviene già nel cielo di Marte, dove appaiono due grandi distese di luce che si intersecano formando una grande croce greca, che come la via lattea è costellata da numerose stelle. Sulla croce c'è crocefisso Cristo, che appare anch'egli sotto forma di luce, luce rapida e abbagliante come il lampo. Qui, dice Dante, vien meno la capacità di descrivere la sua visione trovando paragoni degni di essa ("non so trovare essempro degno", XIV, 105).

Eppure vi sono proprio qui alcune delle similitudini più efficaci della terza cantica. Dal braccio destro al sinistro del fascio orizzontale di luce della croce e dall'alto in basso su quello verticale, si muovono luci che scintillano vividamente nel momento in cui si incontrano e si oltrepassano. Il paragone a cui Dante ricorre per darci un'idea di questa visione è quello che la luce produce nell'ombra quando questa viene attraversata da un raggio solare, in cui si vedono muovere, più o meno veloci e cambiando continuamente aspetto, corpuscoli di varia grandezza della polvere (XIV, 109-17). È singolare che Dante debba ricorrere ad esempi che concernono l'ombra, la polvere, per dire della luce nel suo massimo splendore e purezza, per descrivere gli spiriti luminosissimi dentro una croce bianca in cui lampeggia Cristo. Ma è proprio questo che caratterizza il Paradiso come *commedia* della luce.

Un'altra similitudine, forse una delle più belle, a cui Dante ricorre per la stessa visione della croce, è quella che descrive il movimento dell'anima luminosa di Cacciaguida dall'estremità del braccio destro della croce ai piedi di essa per venire incontro a Dante: "Quale per li seren tranquilli e puri / discorre ad ora ad or sùbito foco, / muovendo li occhi che stavan sicuri, / e pare stella che tramuti loco, / se non che da la parte ond'e' si accende / nulla sen perde, ed esso dura poco" (XV, 13-8).

A questa similitudine ne segue un'altra non meno vivida: per discendere dal braccio destro ai piedi della croce, lo spirito brillante come una gemma vivente – "vivo topazio" (XV, 85), non si stacca dalla croce stessa, ma trascorre lungo le sue due strisce luminose, tanto da sembrare una fiamma che si muova dietro ad alabastro (cfr. XV, 22-4).

La difficoltà di descrivere la luce si manifesta al suo massimo grado con l'arrivo di Dante nell'Empireo, cielo esso stesso di pura luce. La stessa Beatrice, la cui luminosità e bellezza sono andate aumentando di cielo in cielo, qui splende in maniera tale che il suo aspetto "si trasmoda" (XXX, 19) e solo Dio può comprenderlo in tutta la sua pienezza. Sicché Dante, che nella sua poesia ha sempre continuato a cantarla dal primo giorno che la vide, ora deve dichiararsi vinto e desistere dal tentare di tener dietro "a sua bellezza poetando", perché è giunto all'estremo limite delle sue possibilità espressive (cfr. XXX, 22-33).

Lo stacco nel passaggio dal "maggior corpo", il Primo mobile che racchiude tutti gli altri cieli (cioè il cielo stellato e i sette cieli dei pianeti), al "ciel ch'è pura luce", il "cielo quieto", l'Empireo, è espresso con una interruzione del vedere, con un interrompersi della sequenza di cose che si danno alla vista, con un intervallo in cui non c'è nulla da vedere: un "nulla vedere" (XXX, 15). Questo stacco, questa cesura nella sequenza visiva, al momento dell'ascesa dai cieli che sono ancora *corpo* a quello che invece è *pura luce*, introduce a una visione del tutto nuova, perché la vista ha a che fare con una luce diversa, "luce intelletüal, piena d'amore" (XXX, 40). Qui la difficoltà di dire ciò che si dona alla vista aumenta al massimo grado, fino alla visione della luce di Dio: "Da quinci innanzi il mio veder fu maggio / che 'l parlar mostra, c'a tal vista cede" (XXXIII, 55-6), la vista supera la capacità di parola.

Se la parola è in difficoltà, invece la visione è possibile. La luce dell'Empireo e finanche la luce di Dio – una luce che più è guardata e più, a differenza di quella solare, fortifica e acuisce il senso della vista (cfr. XXXIII, 76-81) – non sono fuori dall'architettonica del *Paradiso* incentrata intorno al corpo, ai sensi di Dante e soprattutto alla sua vista. Si tratta di una luce che non si sottrae alla visione, ma che si lascia vedere, che si dona. Anzi qui la possibilità di vedere aumenta. Dante può vedere ora i beati nelle loro sembianze corporee e non più, così come sono apparsi precedentemente negli altri cieli, offuscati dalla luce che da essi emana.

Infatti, come già gli annuncia Beatrice, "il sol de li occhi miei" (XXX, 75), Dante potrà vedere i beati restituiti alla loro figura umana individuale, così come appariranno dopo la resurrezione della carne nel giorno del Giudizio universale.

Dalla pienezza della visione, dunque, il corpo non è escluso. Il volto umano, che dopo le "postille deboli" del primo cielo è stato sempre più offuscato dalla luce, qui riappare nella sua nitidezza in una luce che non lo annulla, ma invece lo esalta.

E questa restituzione del corpo, come quella del giorno del Giudizio, non è tanto un dono a chi ad esso viene riunito, ma soprattutto un dono a chi il volto dell'altro può guardare. È una restituzione agli affetti.

Come Salomone aveva già spiegato a Dante nel cielo del Sole, il ricongiungimento dell'anima col corpo, nel Giudizio universale, non è soltanto in funzione della persona stessa, che così raggiunge la propria completezza, ma è anche e massimamente per gli altri, per i suoi cari della vita terrena, che possono così rivedere le sembianze amate: "non pur per lor, ma per le mamme, / per li padri e per li altri che fuor cari / anzi che fosser sempieterne fiamme" (XIV, 64-6). Questa restituzione del corpo, come sembiante, come volto, agli altri, che così nuovamente lo possono guardare, è uno degli aspetti più significativamente e originalmente umani del modo in cui Dante concepisce il massimo risplendere nella luce divina.

3.
Il viaggio Sterne-Foscolo.
Ricostruzione di un percorso di scrittura

La scelta di questo testo ha diversi motivi. Uno è quello di evidenziare nella scrittura letteraria il ruolo importante che gioca l'intertestualità, soprattutto in questo caso, dove, attraverso un lungo lavoro di traduzione, il traduttore traduce se stesso, riprendendo dal testo tradotto non solo le tematiche e lo stile, ma la posizione stessa della scrittura, cioè l'angolatura prospettica a partire dalla quale un testo può diventare testo letterario. Un altro motivo riguarda il tema del viaggio. Considerando il tema del viaggio in Sterne e Foscolo, intendiamo, infatti, "tema" non come contenuto ma come *elemento strutturale fondamentale* del testo letterario, cioè nel senso che il testo è strutturalmente organizzato come viaggio.

Si può certo, in generale, dire che la scrittura letteraria – in quanto ri-scrittura e in quanto interessata al testo per il quale il contenuto diviene soltanto pre-testo, in quanto fatta di rinvii, di spostamenti, di differimenti, digressioni – ha il viaggio come sua naturale vocazione. Ma in Sterne, nel *Tristram Shandy* e nel *Sentimental Journey*, la scrittura mette in scena se stessa e si fa il verso, proprio in questo suo vagare per niente, nei suoi andirivieni, nel suo inoltrarsi per percorsi già battuti da altre scritture. E nella traduzione, anzi nelle traduzioni, del *Sentimental Journey* da parte di Foscolo si ritrova il tema del viaggio ancora una volta strutturalmente, perché questo testo che interpreta e traduce è esso stesso itinerario, percorso di scrittura. Ed è talmente orientato in senso centrifugo rispetto al suo autore, che egli, per tenergli dietro, si decentra, si sdoppia, diviene Didimo, e il testo finisce con l'appartenere a un altro, a cui bisogna addirittura trovare un nome diverso con il ricorso allo pseudonimo (v. "Notizie intorno a Didimo Chierico", in appendice alla traduzione foscoliana di Sterne). Il tema del viaggio rimaneggiato nel senso di Cervantes e di Swift è anche presente nella cultura veneziana del '700: *Viaggi di Enrico Wanton* e *La mia Istoria ovvero memorie del Signor Tommasino scritte da lui medesimo. Opera narcotica del dottor Pifpuf* di F. Gritti, che Foscolo conosceva bene (v. Di Benedetto, *Introduzione* a Foscolo 1991: xliv-xlvii).

Alla lettura storicistico-biografica di Foscolo (della serie: "Ugo Foscolo e il Trattato di Campoformio") in cui un testo letterario è letto alla stregua di un qualsiasi documento storico, qui se ne propone (per affiancarla non per contrapporla) una lettura di Foscolo *autore-scrittore* (Bachtin), considerato nella *funzione-autore* (Foucault), secondo la quale il testo, in quanto *testo letterario,* è ri-scrittura, è viaggio nelle scritture altrui, comprese quelle dell'*altro di sé,* e appartenenti a generi discorsuali diversi da quello del testo in questione (per esempio la lettera d'amore, il diario, la traduzione, ecc.). Questa lettura del testo tiene conto della *materialità del testo* (v. sopra, I.2) non solo limitatamente al suo *contesto prossimo,* ma anche al *contesto remoto,* il quale travalica la memoria individuale e che riguarda il ricordare della mano che scrive, il ricordare dei generi e delle procedure attraverso cui la scrittura realizza il proprio affrancamento dalla trascrizione e dalla contemporaneità.

Le voyage d'Urien di André Gide (trad. it. 1980: 91) si conclude con la confessione di un inganno: l'inganno di un viaggio, l'inganno della scrittura:

> Madame! je vous ai trompée: / nous n'avons pas fait ce voyage [...]. Ce voyage n'est que mon rêve / nous ne sommes jamais sortis de la chambre de nos pensées – / et nous avons passé la vie / sans la voir [...].

Il gioco di parole del titolo, *Le voyage d'Urien,* alla fine viene svelato: il racconto è il viaggio di niente, il breviario di inutili peripezie, di un viaggio dell'immaginario.

Viene da chiedersi se non sia sempre così il viaggio della scrittura letteraria, un viaggio per niente, solo un pretesto di significanti autonomi e disimpegnati dalla fabula; ed è forte la tentazione di ridurlo a un'invenzione, a un viaggio, come dice Sterne, da fare come Sancio consigliava a Don Chisciotte, standosene a piè asciutto nella propria contrada.

Che tipo di viaggio sia quello di cui scrive Sterne, Sterne stesso lo dice nella prefazione al *Sentimental Journey.* Ma questa prefazione avviene a viaggio gia intrapreso, a scrittura già inoltrata. E non può essere diversamente dato che la scrittura *è* il viaggio: come nel *Tristram Shandy* (trad. it. 1983), anche qui la Prefazione, o il Proemio – come traduce Foscolo–, è inserita nel corso della narrazione, a scrittura già avviata, a viaggio già in corso. Ed è scritta nella *désobligeante*, un tipo di carrozza che poteva portare una sola persona, quasi ad alludere alla solitudine della scrittura, alla "solitudine essenziale", come direbbe Blanchot (1955, trad. it.: 219-221).

Riprendendo gli elenchi a litania di *Gargantua e Pantagruel* di Rabelais, in questa prefazione si presenta una tipologia di viaggiatori in base "sia alle cause efficienti che alle cause finali dei viaggi".

Laonde l'universalità de' viaggiatori può ripartirsi così:

Viaggiatori scioperati
Viaggiatori curiosi
Viaggiatori bugiardi
Viaggiatori orgogliosi
Viaggiatori vani
Viaggiatori ipocondriaci

Seguono i viaggiatori per necessità:

Il Viaggiatore delinquente, e fellone
Il Viaggiatore disgraziato, e l'innocente
Il Viaggiatore semplice
Ultimo (se vi consentite)
Il Viaggiatore sentimentale

E qui intendo di me – e però mi sto qui ora seduto a darvi ragguaglio del mio viaggio – viaggio fatto di *necessità*, e *pour besoin de voyager* quanto ogni altro di questa classe (Sterne 1983a: 19).

Queste enumerazioni parlano del viaggio, ma sono esse stesse viaggio di scrittura, digressioni, divagazioni, indugi e deviazioni dalla linea retta della narrazione. Esse ricalcano quelle del *Tristram Shandy*:

Inoltre avrà varie
Versioni da conciliare

Aneddoti da raccogliere
Iscrizioni da decifrare
Apologhi da intesservi
Tradizioni da vagliare

Foscolo le riprende nel *Sesto tomo dell'io* (a cui si dedica fra il maggio del 1799 e la fine del 1801; v. Foscolo 1991):

Io faccio felici gli uomini per quattro motivi:
Per bisogno
Per dovere
Per capriccio
Per compassione (ivi: 43).

Il mio amore non è certo Platonico.
Non è l'amore di baci.
Non è sentimentale.
Non è di desiderio.
Non è di speranza.
Non è di gelosia.
Non è di ambizione.
Non per costume.
Non è per puntiglio.
Non è per progetto.
Non è per cavalleria.
Non è... non è... (ivi: 44).

Come sterniana sembra essere la "madama" alla quale si fa appello nello stesso *Sesto tomo*: "Dai precedenti tomi dell'Io che voi, madama, avete già letto, o leggerete, o sarete per non leggerli mai – non sono ancora stati scritti –, saprete ch'io nacqui in Grecia [...]" (Foscolo 1991: 19). Ma non è sterniana anche la "*madame*" di *Le Voyage d'Urien* di Gide? – alla quale però, nella parte che abbiamo citato all'inizio, anziché rinfacciare una colpa, come fa Sterne quando, nel capitolo XXI della prima parte, mette in dubbio che "Madama" abbia letto il capitolo precedente, confessa invece una colpa, proprio come avviene nel *Sesto tomo*: qui quella di un testo mai scritto, lì quella di un viaggio mai fatto.

Quali sono gli itinerari della scrittura che il *Sentimental Journey through France and Italy by Mr. Yorick* mette in scena? Il titolo stesso consente divagazioni verso altri testi, in primo luogo quelli della *travel literature* (De Foe, Smollet), ma l'accostamento al nome Yorick (giullare-folle shakespehariano) prelude già a un abbassamento parodico. La presenza di questo nome conferisce al testo anche un altro movimento nell'immaginario, quello di accostarlo, per questa apertura, alla *fiction*, deviando dal modello del resoconto autobiografico di viaggi della *travel literature*. Ma la parola *journey* permette anche un altro percorso; questa volta interno alla produzione di Sterne, in quanto evoca il tema del viaggio già trattato nel VII volume del *Tristram Shandy*. L'aggettivo *sentimental* del titolo sposta però la lettura nella direzione di un collegamento con il "sentimentalismo francese", collegamento a cui contribuisce anche, quasi per caso, la presenza della parola "Francia". E anche sotto questo riguardo si profila un'altra divagazione (da cui lo stesso Sterne si lascerà prendere) per chi conosce il *Tristram*, e cioè il rinvio all'episodio patetico sentimentale di Maria del nono volume del *Tristram* (ripreso da Foscolo fin dallo *Jacopo Ortis* del 1798, nella storia di Lauretta). E poi, ancora nel titolo, il nome Yorick inaugura percorsi che vanno verso lo Yorick del *Tristram Shandy*, i *Sermons of Mr. Yorick* e le lettere e il *Journal to Eliza* (trad. it. 1981), in cui Sterne ricorre ancora allo pseudonimo di Yorick. Tali percorsi possono risalire, come abbiamo accennato, fino a Yorick dell'*Amleto* e da qui alla figura del *fool* e alla cultura carnevalesca popolare (sotto questo riguardo, sono significativi i rinvii della scrittura di Sterne a Cervantes e a Rabelais, oltre che a Shakespeare, autori direttamente o indirettamente presenti anche in quella di Foscolo: v. in particolare il *Piano di Sudj* del 1796 e il *Sesto tomo dell'io*). Nella edizione di Pisa del 1913 della traduzione del *Viaggio sentimentale*, Foscolo scrisse in una nota:

> l'antico Yorik, come è descritto da Shakespeare, muove insieme al riso e alle lacrime; e così appunto il nostro autore in ogni sua pagina; anzi mentre professa il ridicolo, riesce più assai nel patetico (v. Di Benedetto, "Introduzione" a Foscolo 1991: xliv).

Ma per quale percorso si perviene dallo Yorick del *Tristram* allo Yorick del *Sentimental Journey*, che è nello stesso tempo anche Tristram, zio Tobia, Walter Shandy? Per quale percorso di scrittura? E quali sono i percorsi della scrittura che conducono alla traduzione di Foscolo del 1813?

Riguardo alla seconda questione, le scritture che stanno di mezzo sono in primo luogo le diverse stesure della traduzione: "L'ho ritradotto, e mille volte rifatto, lambiccato e corretto, e ricorretto, e copiato e fatto copiare, in guisa che io ho perduto dietro [...] quasi mezzo l'ingegno" (lettera di Foscolo a S. Trechi del 1° giugno 1813). Inoltre vi sono le reminiscenze di frasi, di espressioni, nella traduzione di Foscolo, che rinviano anche a scrittori del Duecento e del Trecento e alla Bibbia e ai Vangeli. Ma tutto questo parla del Foscolo traduttore e nulla dice delle pratiche di scrittura attraverso cui si giunge al Foscolo Didimo Chierico.

Attraverso quali *prove di scrittura* si formano Yorick del *Sentimental Journey* e Didimo del *Viaggio sentimentale*? Attraverso quali pratiche di scrittura ci si prepara alla scrittura come viaggio, come divagazione? Dovrebbe trattarsi di una scrittura anch'essa infunzionale e che non segue il percorso della linea retta. L'ipotesi (già avanzata per Sterne da Giuseppe Sertoli nell'"Introduzione" a Sterne 1983a) è che si tratti della scrittura della lettera d'amore.

Si avrebbe allora il seguente *itinerario* (espressione didimea al posto di "viaggio") graficamente rappresentabile con due linee digressive come quelle tracciate da Sterne nel *Tristram* per indicare il cammino della narrazione (v. *Tristram Shandy*, VI)

– una va da Tristram Shandy a Yorick del *Sentimental Journey* passando per le lettere e il diario per Elisa, con possibili digressioni nella direzione del *Diario per Stella* di Swift, a cui la scrittura di Sterne rinvia e che è anch'esso collegato con il tema del viaggio (si pensi ai *Gulliver's Travels*). Questo percorso è predisposto dallo stesso Sterne: il primo nome che si incontra nel *Sentimental Journey* è infatti Elisa, al vocativo, come in una lettera;

– l'altra va da Jacopo Ortis a Didimo Chierico passando per le lettere d'amore di Foscolo, per esempio quelle ad Antonietta Fagnani Arese, in cui domina Ortis (ma è anche vero che si trovano forti analogie fra le lettere all'Arese e il *Sesto tomo dell'io*: v. l'"Introduzione" di V. Di Benedetto a Foscolo 1991: xix-xxiv); quelle a Marzia Martinengo, in cui si sente Didimo (e Sterne, che però è già presente nell'*Ortis* del 1798; e anche *nel Sesto tomo* Didimo si sente già, benché non sia stato ancora inventato, per esempio nel confronto con Yorik: v. Di Benedetto, ivi: xliv).

Nel *Tristram Shandy,* si scrive per mostrare come è fatta la scrittura, per mettere a nudo l'artificio del romanzo, come disse Šklovskij in un saggio famoso sul *Tristram* (*La parodia del romanzo: Tristram Shandy*, 1921, trad. it. 1966). Invece, nel *Sentimental Journey*, la scrittura mostra come può essere fatta la vita, ovvero che la vita può essere fatta a immagine e somiglianza della scrittura, cosicché un viaggio non è che una scrittura, come opera infunzionale, come movimento senza traguardo e senza ritorno (anche nel senso di senza guadagno), che come la vita finisce senza conclusione.

Le banalità, le futilità in cui consiste il *Sentimental Journey* non hanno, come invece nel *Tristram*, semplicemente una funzione di abbassamento parodico della scrittura secondo l'orientamento carnevalesco del genere romanzo (evidenziato da Bachtin 1963 e 1975). Certo, anche nel *Sentimental Journey* c'è la parodizzazione e la scoronizzazione di opere e generi letterari, soprattutto e direttamente del *travel book*. Però qui il banale e il futile (lo scambio di una tabacchiera, le galanterie con una gentildonna, la carcassa di un asino, l'incontro con una merciaia, ecc.) non hanno soltanto una funzione satirico-parodica e non servono solo a mostrare il *vuoto della scrittura*, ciò che resta di essa quando se ne mostra la struttura, il gioco di rinvii da significante a significato, rispetto al quale il significato, il contenuto, il "messaggio", è solo un pretesto.

Nel *Viaggio sentimentale* la posizione della scrittura è divenuta la posizione del *vivere stesso*: e il rinvio dei significanti caratterizza le situazioni, i rapporti, i discorsi stessi che vengono fatti oggetto di descrizione.

Il passaggio dalle buffonerie del *Tristram* al "patetico" del *Sentimental Journey* (che è anch'esso l'ironizzazione e scoronizzazione dei *topoi* e delle clausole retoriche della tradizione patetica) *consiste nella nuova disposizione a fare del futile, del banale, del minuscolo e del fugace non più soltanto gli unici contenuti della scrittura, ma gli unici contenuti della vita, ciò che in fin dei conti resta di un viaggio.* Il sentimentalismo sterniano è questa disposizione dell'animo ad accogliere il futile e l'indifferente: una disposizione all'innamoramento dunque, e quindi un viaggio sentimentale, se l'innamoramento, come mostra Proust nel racconto intitolato *L'indifferente* (trad. it. 1978), prima ancora che nella *Ricerca del tempo perduto*, è futile passione per l'indifferente.

Nel *Sentimental Journey*, non solo nella scrittura, ma nella vita, nei vissuti, nelle "esperienze" del viaggio, la storia, la fabula, come in un rapporto d'amore, non ha quasi nessuna rilevanza, tende al grado zero. Non vi sono "fatti",

107

non c'è svolgimento, non c'è accumulazione di avvenimenti, non c'è inizio (così come è difficile stabilire come l'innamoramento sia iniziato, individuare il punto di passaggio dal non rapporto al rapporto); e non c'è conclusione, se non nel senso del dileguamento, nel senso che c'è un ultimo rigo scritto nel testo, o nel senso che una sequenza onirica si interrompe. Il *Viaggio di Yorick in Francia e in Italia* si interrompe prima che il viaggio in Italia abbia inizio. Certo ciò a causa della morte di Sterne. Ma questa interruzione è prevista nella scrittura, è essenziale: la scrittura a partire dall'indifferente, che ha l'indifferente come origine e come oggetto, è anticipazione della morte: la scrittura del *Sentimental Journey* come passione per l'indifferenza, come gioco di differimenti, di rimandi, di perdite, di assenze ha nella morte la propria origine, come ha nella morte la propria origine il rapporto amoroso, nella morte propria anticipata nella perdita – non casuale, ma essenziale al rapporto, e al discorso amoroso – della persona amata, nella sua partenza (si rinvia a Ponzio, *I segni dell'altro. Prossimità e scrittura letteraria*, 1995b). E il *Sentimental Journey* prende origine, come una scrittura d'amore, da una partenza, quella di Elisa.

Come nel discorso amoroso, nella scrittura di viaggio – ma ormai si potrebbe dire nel *viaggio di scrittura* – vige il primato della digressione. Si parla di niente, come quando si parla del tempo che fa. La parola non è funzionale; si potrebbe dire che ha una funzione fàtica; ma più esattamente, qui, come fàtica, la parola perde qualsiasi funzione rispetto a un significato da comunicare, a un obiettivo, a uno scopo.

Nel *Sentimental Journey* succede che non solo nella scrittura, come nel *Tristram*, la letterarietà si afferma sulla letteralità, ma *anche nella vita*, nelle esperienze di viaggio. E perciò il *Sentimental Journey* non è un saggio sulla scrittura, come il *Tristram*, ma, come dice Yorick, è un "saggio sulla natura umana". E se il *Sentimental Journey* è un viaggio educativo, esso lo è nel senso che (tutt'altro rispetto al viaggio di accumulazione delle esperienze e di maturazione e consolidamento dell'io) è la scoperta della *letterarietà del vissuto infunzionale*, del suo carattere di viaggio che non è fatto in funzione del ritorno, della sua apertura verso l'alterità che non è usufruibile a vantaggio dell'edificazione dell'io, della sua disposizione all'accoglienza senza contropartita.

Come avviene dunque il passaggio da Tristram a Yorick? Come Sterne raggiunge la posizione di scrittura che gli consente il viaggio sentimentale? La risposta ce la dà l'autore stesso in segni, tracce, di questo itinerario, che egli lascia fin dalla prima pagina del *Viaggio sentimentale*.

Un segno è il nome Elisa messo al vocativo nella prima pagina, lasciato lì dall'autore per il lettore; e non per chissà quale lettore erudito o pieno di buona volontà di informarsi abbandonando il testo e prendendo la via delle note e delle postille, ma per il lettore comune, che certamente avverte in quel vocativo un tono affettivo e confidenziale, tanto più che nello stesso passo, si parla di un ritratto donato in ricordo e da portare appeso al collo.

> [...] Le mie camicie, le mie brache di seta nere, la mia valigia [...] e anche la miniatura che io porto da tanto tempo, e che io tante volte, o Elisa, ti dissi ch'io porterei meco nella mia fossa (Sterne 1983b: 5).

Anche nel *Tristram*, Sterne, lo abbiamo detto, di tanto in tanto si rivolge a una Signora, rappresentante del pubblico delle sue gentili lettrici. Ma questo espediente fa parte delle bizzarre trovate dello Sterne del *Tristram*, ed è anche parodico-ironico di certe opere divulgative dell'Illuminismo rivolte alle signore (gli *Entretiens* di Fontenelle o i *Dialoghi* dell'Algarotti). E Foscolo, come abbiamo visto, riprende questo modo di fare del *Tristram* nel *Sesto tomo dell'io*:

> Dai precedenti Tomi dell'Io che voi, madama, avete già letto [...]. Ma se voi, Madama, leggendo sin qui le poche pagine [...] (Foscolo 1991: 19-20).

Ma nel *Viaggio sentimentale* il tono è diverso, e, benché ci troviamo nel genere racconto di viaggio, si avverte la ripresa del genere epistolare, della lettera sentimentale, della lettera d'amore. La narrazione assume così un orientamento particolare e viene dirottata verso l'allusione a un rapporto nel quale poi direttamente il lettore si imbatterà: nel capitolo XXVIII del libro del *Viaggio sentimentale*, Yorick, sul ritratto di Elisa che lei stessa gli ha appeso al collo con un nastro nero al momento di partire, promette di non tradirla mai più.

Ebbene, come ha mostrato Sertoli nella sua introduzione al *Viaggio sentimentale*, sono proprio le lettere d'amore a Elisa (Elizabeth Sclater Draper) a costituire il luogo originario della scrittura, una scrittura infunzionale, dove

Tristram comincia a diventare Yorick e a portare dentro alle sue scritture il futile e il banale: non con l'atteggiamento decostruttivo e trasgressivo, ironico-satirico del *Tristram*, ma con quello sentimentale, di innamoramento, di apertura verso l'alterità che caratterizza il "viaggio riposatissimo" di Yorick, "viaggio del cuore in traccia della natura e di quei sentimenti che da lei sola germogliano e che ci avvezzano ad amarci scambievolmente – e ad amare una volta un po' meglio tutti gli altri mortali". Perciò, con una traduzione tutta foscoliana, un episodio del *Viaggio* (quello del polso ovvero della merciaia) inizia con

> Siate pur benedette, o lievissime cortesie! Voi spianate il sentiero alla vita; voi gareggiando con la Bellezza e le Grazie che fanno alla prima occhiata germinare in petto l'amore, voi disserrate ospitalmente la porta al timido forestiero (Sterne 1983a: 95).

La scrittura del viaggio e il viaggio della scrittura hanno inizio in un altro genere, quello della lettera d'amore, a partire dall'assenza, dall'indifferenza, dalla insignificanza, attraverso cui si prepara l'attenzione per persone, cose e situazioni che dal punto di vista dei generi della parola diretta, impegnata e funzionale sarebbero del tutto irrilevanti, e ci si esercita alla funzione fàtica del discorso. Le lettere di Yorick a Elisa e il *Diario per Elisa* fanno da tramite tra il nono volume del *Tristram* e il *Viaggio* e permettono il raggiungimento della posizione di scrittura caratteristica di quest'ultimo.

In queste lettere, infatti, sono già in primo piano quelle *trivialities*, quelle banalità e futilità della vita di ogni giorno, che Virginia Woolf tanto apprezzerà nella sua introduzione (trad. it. in Woolf 1979: 136-137) al *Sentimental Journey,* e cioè "la chiacchiera, il vaneggiamento, il cibo, il corpo" che, come dice Brilli in *La bella indiana,* in Sterne 1981: 142, hanno nel *Viaggio* "una parte considerevole, addirittura fondante"

Vi è nelle lettere e nel diario il fraseggiare smozzicato, spezzettato, rivive la divagazione e l'intrattenersi fine a se stesso della conversazione fàtica. Yorick scrive a Elisa dei suoi malanni, del tempo che fa, delle terapie che gli propinano i medici, se è riuscito a dormire o se ha trascorso notti insonni, di ciò che ha mangiato e di ciò che non ha potuto mangiare. E qui ritroviamo – quasi indizio di una ricostruzione poliziesca depistata però verso l'irrilevante – il ritratto di cui si parla all'inizio del *Viaggio*:

Ho meditato un'ora sul tuo caro ritratto – ed un paio d'ore su di te e con la stessa affettuosa amicizia, come nell'ora in cui mi lasciasti – Lo nego (Sterne 1981: 47).

Ho introdotto il tuo nome, *Eliza*, e il tuo ritratto nel mio libro – dove resteranno – quando tu ed io saremo in pace per sempre. Qualche annotatore o glossatore delle mie opere a questo punto coglierà l'occasione per parlare dell'amicizia che sussistette così a lungo e fedelmente fra Yorick e la Signora di cui lui parla (ivi: 59).

Ma il rapporto con Elisa è già letterario prima ancora che Sterne la menzioni nel suo libro:

In breve, tu penetri nella mia biblioteca, Eliza! (ivi: 46).

Questa frase, tanto più perché parla di Elisa ormai assente, non può essere intesa in senso letterale. Essa dice del rapporto fra Elisa e la scrittura, la scrittura di altri, gli autori nella biblioteca, che Sterne riprende rendendo letterario il suo amore per Elisa:

Neanche Swift amò così la sua Stella, né Scarron la sua Maintenon, né Waller la sua Sacharissa, come io amo e ti canto. Tutti quei nomi, per quanto eminenti, saranno sostituiti dal tuo, Eliza (ivi: 129).

E della funzione che questo amore svolge nella composizione del *Viaggio sentimentale*, Sterne sembra ben consapevole quando scrive:

Se tuo marito fosse in Inghilterra, gli darei volentieri cinquecento sterline (se il denaro potesse permettere l'acquisizione) perché ti lasciasse soltanto sedere due ore al giorno accanto a me, mentre scrivo il mio *Viaggio sentimentale*. Sono certo che grazie a te l'opera si venderebbe anche meglio, che tutto sommato recupererei sette volte la somma da me spesa (ivi: 117-118).

Ma si può mai recuperare ciò che si spende nel perdere tempo nella futilità del rapporto d'amore e nel cercare di ritrovarlo (Proust) nella pratica di una scrittura anch'essa infunzionale come quella del viaggio?

Le prove di scrittura attraverso cui si forma Didimo traduttore di Yorick non sono diverse.

È inutile insistere sul ruolo che il genere epistolare e in particolare la lettera d'amore hanno nella scrittura di Foscolo, a partire, prima ancora dell'*Ortis,* dal misterioso libro *Laura, Lettere* (quasi finito, stando al *Piano di studj* foscoliano, nel 1796), a quanto pare già sotto l'influenza del *Viaggio sentimentale* di Sterne e da cui deriva il nome Lauretta (attraverso il passaggio per Juliette e Giulietta delle traduzioni francesi e italiana del *Sentimental Journey* al posto di Maria; su tali questioni, v. Fasano 1974) dato nell'*Ortis* al personaggio che ricalca quello sterniano di Maria. È inutile ricordare il ruolo delle lettere d'amore (v. la raccolta Foscolo 1983) nelle diverse stesure dell'*Ortis*, il suo progetto di un "novello Ortis" tramite le sue lettere ad Antonietta Fagnani Arese. E in queste lettere, collegate soprattutto all'inizio, come abbiamo accennato, con il *Sesto tomo dell'io*, è già pure presente l'influenza di Sterne: "Ma se io potessi un giorno narrarti tutta la storia della mia passione per te", dice Foscolo ad Antonietta Arese, "io ti farei ridere e avere a un tempo pietà del tuo Foscolo" (Foscolo 1983: 53).

> Il tuo romanzetto ambulante ieri era gaio come un bel mattino di primavera: oggi... che differenza! Sono ritornato così malinconico che appena la tua vista potrebbe consolarmi (ivi: 222; v. anche ivi: 62 e 66).

Certo, il passaggio da Ortis a Didimo (passaggio non lineare e anzi "passaggio" ideale, una costruzione giustificabile solo per motivi di analisi della scrittura foscoliana) – al Didimo che "teneva chiuse le sue passioni, e quel poco che ne traspariva pareva calore di fiamma lontana" (Sterne 1983a: 344); al Didimo che nella prefazione alla traduzione del *Viaggio* di Sterne, così parla di quest'ultimo: "ei deride acremente, e insieme sorride con indulgente soavità; e gli occhi suoi scintillanti di desiderio, par che si chinino vergognosi; e nel brio della gioia sospira"– avviene certamente e va anche spiegato in concomitanza con gli eventi storici dell'epoca, col disinganno foscoliano di Campoformio e con la sua definitiva scelta "moderata".

Ma per esprimere sentimenti mutati bisogna mutare le scritture.

E se lo stato d'animo di Didimo si forma entro contesti storici determinati, la sua scrittura si realizza nel *cotesto della scrittura stessa*: soprattutto attraverso l'influenza di Sterne e l'esercizio della lettera d'amore.

Sotto questo riguardo sono particolarmente significative le lettere a Marzia Martinengo Cesaresco (1807-9), in cui ritroviamo lo stile delle lettere a Elisa, un po' per l'influenza di Sterne, un po' perché il genere lettera d'amore ha caratteristiche ed esigenze sue proprie che portano chi scrive a soffermarsi sull'insignificante e sul futile, a intrattenere il destinatario semplicemente in funzione di un rapporto fàtico, di contatto:

Sto meglio: meglio di molto: la flussione e la febbre m'hanno lasciato stare: continua un po' il mal di testa, e più crudelmente verso sera. Prevedo che io dovrò sopportarlo finché durerà questo tempo scomunicato; piove dì e notte, piove sempre: ed io sempre solo a casa come un gufo (Foscolo 1983: 262).

Mia cara Marzia – la pioggia minaccia e non posso uscire – l'ora mi incalza ed ho ancora da vestirmi [...] (ivi: 264).

Mia Marzietta – sono così martoriato da un dente ch'io posso appena reggermi la testa. Ho tentato di rivestirmi, ma senza pro'– sto sempre sdraiato sul letto e sfinito per non poter masticare. Appena ho la forza di scriverti! – la notte non ho dormito – e il sonno che mi ha preso questa mattina col sole mi tiene sbalordito (ivi: 278).

Domani saranno quaranta giorni appunto che non s'ebbero quattordici ore continue senza pioggia, né quattr'ore di sole; così osservò un vecchio mendico che siede fuori dalla mia porta, e che quando passa poca gente mangia di magro (ivi: 278).

Ieri domenica faceva bellissimo tempo – la più bella giornata dell'anno e sono uscito (ivi: 310).

Sabato mi sono fermato un po' al ballo, e di qui innanzi mi fermerò pochissimo o niente: quella confusione di donne giovani e vecchie, belle e brutte, di ruffiani e galantuomini, di vergini e sgualdrine a me non piacque mai, ed ora che divento più serio e più vecchio mi spiace fino alla nausea [...]. Mi piacerebbe bensì mascherarmi per dire qua e là qualche impertinenza, ma io sono facile ad essere conosciuto – e d'altronde mi eleggo di perdere sei giorni che una sola notte; la sera studio di più, sto più con me, e godo di quella mesta e sana tranquillità che è per me divenuta ormai, come dice Sterne, *la parte istromentale dell'anima mia* [*the instrumental parts of my religion*, che Foscolo traduce "le parti istrumentali della mia religione": v. Sterne 1983a: 38-39] (ivi: 324).

Come la lettera d'amore, la scrittura come viaggio mette in scena l'io del viaggiatore-scrittore (un riferimento andrebbe qui fatto a *Se una notte d'inverno un viaggiatore* di Italo Calvino), ma lo mette in scena nel suo costruirsi come scrittore, nel suo tradursi in scrittura in divenire, necessariamente interrotta e inconclusa, così come necessariamente interrotto e inconcluso deve essere un viaggio di scrittura e un carteggio amoroso.

Da qui il carattere di autoritratto, e nello stesso tempo di maschera, di questa scrittura: Sterne che si ritrae ("ritrarsi": farsi il ritratto ma anche farsi indietro, arretrare, sottrarsi, prendere le distanze) nell'autoritratto di Yorick (paradossalmente l'*auto*ritratto-di-un-*altro*) e Foscolo in quello di Didimo Chierico: nel quale, traducendo, egli si è tradotto; e del quale egli, come questo genere di scrittura richiede e come si fa nella lettera, sente l'esigenza, pubblicando la traduzione del *Sentimental Journey*, di dare *notizia*.

4.
Le carte, il gioco, la signora. Il *Diario del primo amore* di Leopardi

> E pure certamente l'amore e la morte sono le sole cose
> che ha il mondo, e le sole solissime degne di essere desiderate
> (Leopardi, dalla lettera a Fanny Targioni-Tozzetti, del 16 agosto 1832).

Quando Leopardi inizia il suo *Diario del primo amore*, la "Signora Pesarese" è già partita. Da questa partenza comincia la scrittura della passione amorosa. Il diario racconta dall'"inizio" lo svolgersi degli "avvenimenti", ma non è scritto dall'"inizio". Il primo giorno in cui viene scritto è domenica 14 dicembre 1817, mentre il racconto comincia dalla sera del giovedì precedente, da quando

> arrivò in casa nostra, aspettata con piacere da me, né conosciuta mai, ma creduta capace di dare qualche sfogo al mio antico desiderio, una Signora Pesarese nostra parente più tosto lontana, di ventisei anni (Leopardi 1817, 1981: 9).

Arrivò: il diario inizia con il passato remoto, per poi giungere al passato prossimo con cui si dice della partenza della Signora, avvenuta la mattina di quella stessa domenica:

> E perché la finestra della mia stanza risponde in un cortile che dà lume all'androne di casa, io sentendo passar gente così per tempo, subito mi sono accorto che i forestieri si preparavano a partire, e con grandissima pazienza e impazienza, sentendo prima passare i cavalli, poi arrivar la carrozza, poi andar gente su e giù, ho aspettato un buon pezzo coll'orecchio avidissimamente teso, credendo ogni momento che discendesse la Signora, per sentirne la voce l'ultima volta; e l'ho sentita (ivi: 11-12).

E infine il presente, quello della scrittura e quello del dirsi del sentimento amoroso, da cui parte la ricostruzione, "fin dall'inizio", della sua manifestazione e degli avvenimenti ad esso collegati:

> E così il sentir parlare di quella persona, mi scuote e tormenta come a chi si tastasse o palpeggiasse una parte del corpo addoloratissima [...]. E sono svogliatissimo al cibo, la qual cosa noto come non ordinaria in me né anche nelle maggiori angosce, e però indizio di vero turbamento. [...] ed eccomi di diciannove anni e mezzo innamorato (ivi: 12-13).

Ciò che dà fondamento alla consapevolezza del sentimento amoroso nel suo stato attuale e alla ricostruzione della sua genesi è il vuoto dell'assenza.

Adeguata a questo basarsi su niente della passione amorosa è la circostanza in cui essa sorge: una situazione in cui i segni perdono ogni referente esterno e ogni funzione pratica, si autonomizzano e rinviano a se stessi: quella del gioco. Il sorgere del sentimento amoroso è collegato, nel racconto, con il gioco: la Signora gioca alle carte con i fratelli di Giacomo, il quale, "invidiandoli molto" (ivi: 10), è invece costretto a giocare agli scacchi con un altro. All'inizio, per le sue vittorie al gioco ottiene lodi dalla Signora ("e dalla Signora sola, quantunque avessi intorno molti altri"), la quale, poi, intenta ad altro, non ci bada più. In seguito, lasciate le carte, ella vuole che Giacomo le insegni il gioco degli scacchi, infine gioca a carte con lui:

> [...] l'aver veduto e osservato il suo giocare coi fratelli, m'aveva suscitato gran voglia di giuocare io stesso con lei (*ibidem*).

Questi gli "avvenimenti" della sera del venerdì; invece riguardo alla sera del giovedì precedente e alla mattina di quello stesso venerdì, il diario non ha molto da dire circa la "storia" del sentimento amoroso: la sera in cui la Signora arriva, Giacomo, che non le dice che poche parole, non le dedica molta attenzione: "non mi ci fermai col pensiero" (ivi: 9); del giorno dopo ciò che viene annotato è il

> freddo e curioso diletto di mirare un volto più tosto bello, alquanto maggiore che se avessi contemplato una bella pittura (*ibidem*).

Anche quanto segue agli avvenimenti connessi al gioco è di scarso rilievo: alla cena la "solita fredda contemplazione", e tutta la prima parte del giorno dopo è consumata nell'attesa di poter di nuovo giocare. Poi il gioco ritorna finalmente: Giacomo ottiene per sé molte parole e sorrisi dalla Signora. Dopo di ciò apprende che la partenza è fissata per l'indomani.

Il gioco, alle carte e agli scacchi, è dunque la parte centrale della ricostruzione del sorgere della passione amorosa, la quale, la sera in cui si è giocato per la seconda volta, si manifesta come

> inquietudine indistinta, scontento, malinconia, qualche dolcezza, molto affetto, e desiderio non sapeva e non so di che (*ibidem*).

Quando si addormenta, Giacomo per tutta la notte sogna, come un febbricitante, "le carte il gioco la Signora" (*ibidem*).

Gioco e innamoramento, "gran voto" (ivi: 12) dell'assenza e scrittura, quella del diario e quella della poesia *Il primo amore*. Il momento della partenza, il suono della voce della Signora come ultimo segno insignificante che Giacomo attende di ascoltare con "grandissima pazienza e impazienza" (ivi: 11) come aveva atteso il gioco delle carte; e quindi il precisarsi di quel desiderio – che niente "fra le cose possibili" (*ibidem*) poteva appagare –, avvertito la sera precedente, e della attuale "ricordanza malinconica" come sintomi dell'innamoramento.

Tutto il resto del diario non è che la narrazione puntuale del graduale affievolirsi della passione, che, nutrita solo di "ricordanza e di immagini" (ivi: 23), cede a poco a poco all'oblio.

> Contuttocciò ella, nonostantaché langua come un lume a cui l'olio vada mancando, pur tuttavia dura e durerà forse anche lungo tempo, sempre languendo e facendo vista di spegnersi, e tratto tratto mandando qualche favilluzza, come nelle ore di più ozio e soprattutto di malinconia, ch'io credo che l'animo mio dovrà per molto spazio risentire a ogni altra sua malattia questa piaghetta rimasta mezzo saldata (ivi: 24).

I successivi amori di Leopardi ripetono questa prima esperienza, reiterandone la unilateralità, la chiusura, l'intensità, l'impossibilità e soprattutto la passione per l'indifferenza.

Questa ripetitività di tratti ha forse un rapporto con la qoheleticità della scrittura leopardiana (v. sopra, I.5), cioè con il suo rinnovato rieccheggiare l'antico canto di Qohélet: "havèl havalím... un infinito vuoto / un infinito niente...: *Qohélet* o l'*Ecclesiaste*,

> libro di miseria, libro alla miseria di tutti sacro. Al vertice della musica, in figure incorruttibili, una Danza alla Morte tra le più esatte, forse la più preziosa, [...] un sortilegio religioso amorale, la mano della giovinezza agitata in un eccesso di più, in modo splendido e sperperato (Ceronetti "Qohélet poema ebraico", in Ceronetti 1970: 20-21).

Scrive Leopardi in quella domenica del 14 dicembre 1817:

> E veggo bene che l'amore dev'esser cosa amarissima, e che io purtroppo (dico dell'amor tenero e sentimentale) ne sarò sempre schiavo (Leopardi 1981: 13).

Questa previsione trovò conferma, e si può supporre che ciò debba avere un collegamento col fatto che

> Leopardi visse imbevuto di Ecclesiaste, e lunghi Ecclesiasti sono i Canti e le Operette (Ceronetti "Leopardi e Qohélet", in Ceronetti 1970: 94)

Si pensi soltanto a questo passo dell'*Ecclesiaste*, che abbiamo già avuto occasione di citare (v. sopra, I.5).

> Grande sapienza è grande tormento: / Più intelligenza avrai / più soffrirai [...] Ragazzo goditi la giovinezza / Va' dove va il tuo cuore / E dove va lo sguardo dei tuoi occhi. / E getta via il tormento del tuo cuore / Stràppati dalle carni il dolore / Perché un soffio è la giovinezza / Nerezza di capelli – un soffio (ivi: 28 e 76).

5.
I promessi sposi di Manzoni,
nella specificità di testo letterario

La materialità di un testo letterario, cioè la sua oggettività semantica, la sua autonomia sia nei confronti della comunicazione intenzionale dell'autore, sia dalla ricezione del lettore, comporta che esso non si lascia ridurre ad un messaggio che passa da un emittente a un ricevente (v. sopra, I.2). Di conseguenza il testo presenta uno spessore di senso che va ben al di là del contesto attuale dell'autore e di quello del lettore. Oltre al contesto attuale della biografia e della realtà storica dell'autore, il testo è collegato con un *contesto remoto* (Bachtin) che ai suoi "significati di partenza" apporta altri "significati aggiuntivi" (Rossi-Landi 1998, v. anche Ponzio 1988) e lo fa risuonare come *testo di scrittura*, di cui esso si ricorda fuoriuscendo dalla memoria dell'autore. A tale contesto remoto il lettore deve essere sensibile, se si vuole disporre in una posizione di ascolto e di discrezione nei confronti del testo, della sua alterità, in un rapporto dialogico, in cui il suo contesto di lettore non prevarichi su quelli a cui già il testo autonomamente si riferisce.

Conviene scegliere come esempio un testo letterario noto, e noto soprattutto a scuola, anche per poter meglio capire i risvolti didattici di un approccio dialogico al testo che non ne perda di vista lo spessore contestuale di testo letterario, e non lo riduca alla parola diretta, oggettiva, dell'autore nel contesto della sua contemporaneità e agli interessi conoscitivi – storici, sociologici, ideologici, filosofici, filologici, linguistici, ecc. – del lettore. Il testo a cui ci riferiremo è *I promessi sposi* di Alessandro Manzoni.

Ci limiteremo a considerare le pagine iniziali e finali di questo romanzo. Perché esso inizia come inizia e perché finisce come finisce? In che cosa sta, in tale inizio e in tale fine, la sua specificità di testo di scrittura letteraria, del suo appartenere al genere romanzo?

Per rispondere a tali domande bisogna considerare *I promessi sposi* nei contesti a cui esso appartiene in quanto testo letterario e che perciò sono diversi da quelli a cui appartiene, per esempio, un altro testo anch'esso dello stesso autore ma che non può essere considerato un testo letterario, le *Osservazioni sulla morale cattolica*, benché i due testi abbiano in comune altri contesti, quali le circostanze storiche e personali dello scrittore, il contesto costituito dall'opera complessiva dello scrittore, il contesto ideologico, ecc. I contesti da prendere in considerazione per il nostro scopo sono: a) il contesto della letteratura o, meglio, *contesto della scrittura*; b) il contesto della *narrazione letteraria*, considerato nel suo rapporto con il contesto reale (che è anche il rapporto fra autore-uomo e autore-scrittore, inerente al contesto della scrittura); c) il *contesto del genere romanzo*, considerato nell'interazione con i contesti di altri generi, a cominciare da quelli che, per usare un'espressione di Bachtin, fanno parte della "preistoria della parola romanzesca"; d) il contesto che altrove (v. Ponzio 1995b: 129-133) abbiamo chiamato *etica della fabulazione*, caratterizzata soprattutto dall'azzeramento della storia come accumulazione, programmazione, crescita, progresso, e da un rovesciamento carnevalesco delle gerarchie e dei valori del mondo costituito, ufficiale.

A) *Contesto della letteratura o contesto della scrittura*

I promessi sposi inizia con un rinvio ad un altro testo. Lo scrittore interpone fra sé e la scrittura un altro autore, un'altra scrittura. Una operazione tipicamente letteraria di allontanamento, di distanziamento, di deresponsabilizzazione. Mediante il rinvio al manoscritto dell'anonimo autore del Seicento, il testo si colloca in un contesto di scrittura che è costituito non solo dal rapporto con il presunto manoscritto, ma anche dal rapporto con tutta la serie di testi (si potrebbe per lo meno risalire ai sonetti del *Don Chisciotte* di Cervantes) in cui ricorre l'interposizione, fra scrittore e scrittura, di un testo anonimo o pseudonimo o polinomico.

Si comincia dunque da una scena di scrittura: una sequenza di rimandi da testo a testo che non ha limiti definiti, malgrado la delimitazione stabilita, all'inizio del testo dalle virgolette che aprono il discorso dell'Anonimo del Seicento (a cui apparterrebbe il manoscritto trovato da Manzoni ri-scrittore de *I promessi sposi*) e malgrado la delimitazione offerta, ancor prima, dal titolo stesso del romanzo.

Il gioco dei rinvii, il gioco di maschere fra le scritture del testo, si perde nel contesto della tradizione di scritture che, proprio per questo gioco di rimandi, di riprese, di limitazioni, di traduzioni, di tradimenti, di parodizzazioni, di mascheramenti, può esser detta tradizione *letteraria*. Neppure vi sono limiti definiti dalla parte delle virgolette che chiudono la trascrizione diretta dell'anonimo, anche perché essa si interrompe prima che il periodo si sia concluso. E, d'altra parte, una volta che si passa alla nuova esposizione, alla nuova "dicitura", quella del Manzoni che smette di ricopiare, di trascrivere (*"I prefer not to"*, direbbe il copista - Bartleby - di Melville) e decide di ri-scrivere la "storia milanese del secolo XVII", i confini fra discorso riportato e discorso riportante vengono cancellati: se certamente la storia, la *fabula* viene attribuita all'anonimo, il quale per altro narrerebbe fatti realmente accaduti, è difficile dire chi sia responsabile dell'*intreccio*, delle divagazioni, delle digressioni, delle riflessioni, dei giudizi sui personaggi, dell'ironia, della distanza o della partecipazione nei loro confronti.

Certo, l'interruzione della narrazione con la citazione delle *gride* va attribuita al rifacitore del racconto; ma, per esempio, a quale dei due autori, quello dello scartafaccio o quello che rifà la narrazione, appartiene la descrizione con cui comincia il capitolo I, "Quel ramo del lago di Como..."? Quanto l'autore della nuova "dicitura" si è distanziato dalla scrittura dell'Anonimo? Dove finisce lo stile parodiato, imitato, raffigurato, rappresentato, dove comincia il "vero stile" di Manzoni? È stato fatto notare (da Giuseppe Bonaviri) che il famoso brano del "ramo del lago di Como" riscrive il seicentista Padre Daniello, riprendendone la descrizione geografica dell'India al di qua del Gange. Ciò può risultare tanto più sorprendente quando non si tenga conto che la letterarietà di un testo, il suo essere testo di scrittura, consiste proprio nel suo parlare indiretto, attraverso il rinvio ad altre scritture.

Lo scrittore non ha uno stile suo. Egli mette in scena gli stili e i discorsi, senza legarsi monologicamente a nessuno di essi: lo scrittore (a differenza dello "scrivente", che scrive per informare, persuadere, educare, criticare, ecc.) – per esempio a differenza del Manzoni delle *Osservazioni sulla morale cattolica* – parla con riserva, imitando, stilizzando, facendo il verso, parodiando. Non parla sul serio: lo scrittore parla con ironia, la sua parola non è più parola diretta, oggettiva, di autore-uomo, di *scrivente*. E ciò grazie al distanziamento, all'exotopia, alla partecipazione a distanza, che la parola letteraria gli consente; e di cui l'espediente del ritrovamento del manoscritto è la metafora, ma non solo: è anche un'esigenza reale dell'autore per poter "uscire da sé" e assumere la posizione di scrittore, e un mezzo per avvertire il lettore di non identificarlo con l'autore-uomo o con l'autore-scrivente.

L'espediente dell'interposizione del presunto manoscritto fra scrittore e scrittura sta ad indicare in maniera vistosa e grossolana la mediazione, la distanza, la de-responsabilizzazione, il disimpegno (per una responsabilità non delimitata da questa o da quest'altra posizione, da questo o da quest'altro ruolo, ivi compreso il ruolo di intellettuale) che un'opera di scrittura comporta in quanto tale, instaurando una separazione fra la persona che scrive e il soggetto della scrittura.

Per giunta, l'espediente dello scartafaccio del seicentista fa rientrare, assorbe, la stessa operazione di distanziamento nel quadro della scrittura, all'interno del romanzo, rendendola narrabile, traducendola in funzione narrativa.

B) *Contesto della narrazione e contesto reale*

Da una parte il *nome* dell'autore, dall'altra l'assenza di nome, l'*anonimo*. Non è forse casuale che la trascrizione del testo anonimo si interrompa proprio nel punto in cui si parla di *nomi*: "Imperrocché, essendo una cosa evidente e da verun negata non essere i nomi se non purissimi accidenti..." (troviamo all'inizio di questo romanzo la stessa allusione, espressa alla fine di un altro, dei nostri giorni, *Il nome della rosa* di Eco, che così si conclude: "Stat rosa pristina nomine, nomina nuda tenemus".

È nel punto in cui la scrittura viene interrotta sulla affermazione che i nomi sono soltanto purissimi accidenti, che tale scrittura, con cui inizia il romanzo, è attribuita ad un proprietario, l'anonimo seicentista, contrapponendola a quella di un altro proprietario, l'autore, Alessandro Manzoni.

La voce di quest'ultimo è fatta intervenire nella forma del discorso diretto e quindi isolata fra lineette e distinta da quella del medesimo autore soggetto del discorso riportante. Di fronte al discorso riportato dell'anonimo, il discorso riportante dell'autore è dunque esso stesso diviso in due, sdoppiato in discorso riportante e discorso riportato in forma diretta:

– Ma, quando io avrò durata l'eroica fatica di trascriver questa storia da questo dilavato e graffiato autografo, e l'avrò data come si suol dire alla luce, si troverà poi chi duri la fatica di leggerla? –

Questa riflessione dubitativa, nata nel travaglio del decifrare uno scarabocchio che veniva dopo *accidenti*, mi fece sospendere la copia, e pensavo più seriamente a quello che convenisse fare.

– Ben è vero, dicevo tra me scartabellando il manoscritto, ben è vero che quella grandine di concettini e di figure non continua per tutta l'opera. Il buon seicentista ha voluto sul principio mettere in mostra la sua virtù [...].

L'autore viene, così, inserito nel contesto della narrazione. L'espediente del manoscritto rende possibile all'autore di narrarsi: l'autore è sdoppiato in oggetto e soggetto di narrazione. L'autore viene a far parte della finzione narrativa, viene a trovarsi nel contesto della letterarietà: ciò che dice non va preso sul serio, come invece avviene per gli autori della scrittura diretta, per gli scriventi, non va inteso in senso letterale, ma in senso letterario. Si viene a creare così un rapporto di interazione fra contesto della letterarietà e contesto della letteralità.

L'io dell'autore si è distanziato dal soggetto che scrive: ciò che egli dice può essere imputato ad Alessandro Manzoni solo in quanto autore stesso de *I promessi sposi*, diversamente da quanto avviene per altri suoi scritti non letterari – per esempio le già citate *Osservazioni sulla morale cattolica* – e da quelli appartenenti a generi letterari diversi dal romanzo (ma anche qui "l'immagine dell'autore" si presenta sempre in forma mascherata). Alessandro Manzoni autore de *I promessi sposi* non va preso in senso letterale, esso fa parte della costruzione letteraria.

Questa metamorfosi dalla letteralità alla letterarietà che il nome di Alessandro Manzoni subisce in quanto autore del romanzo, la troviamo già nel titolo stesso:

I PROMESSI SPOSI
Storia milanese del secolo XVII
scoperta e rifatta da
ALESSANDRO MANZONI

Il titolo stesso fa parte della finzione narrativa ed esso già racconta sinteticamente la storia dello scartafaccio di cui si dirà nell'introduzione. Fin dal titolo l'autore è preso dal contesto della finzione narrativa, e ciò che gli si attribuisce, la scoperta e il rifacimento di una storia milanese, fuoriesce dall'opposizione vero/falso propria della scrittura diretta, transitiva, letterale, e rinvia, ammiccando al lettore, al gioco della letterarietà in cui lo si vuole coinvolgere.

C) *Il genere romanzo come contesto*

Un gioco di scritture dunque, di discorsi riportanti e riportati, di stilizzazioni e di parodizzazioni, a cui il genere romanzo è particolarmente predisposto. Il contesto di ogni genere letterario impone delle regole di scrittura e un modo diverso di essere autore di tale scrittura. Scegliendo il contesto del genere romanzo, data la storia di questo genere, data la memoria oggettiva di questo genere in cui si conserva tutta una tradizione di scritture, lo scrittore risente di una particolare maniera di svolgere la funzione di autore, di rapportarsi alla propria scrittura, di disporsi nei confronti della parola dei personaggi, di orientarsi nei confronti del destinatario, di riferirsi alla storia reale, ecc. Lo scrittore è preso dalla scrittura propria del genere, e l'autore, piuttosto che una entità autosufficiente ed esterna al contesto di scrittura, è una sua costruzione, una sua funzione e finzione relativa al genere.

Così, è proprio della parola del romanzo l'*abbassamento* (nel senso di Bachtin) che si viene a creare quando, come si propone l'Anonimo manzoniano, si passa dalla narrazione delle "Imprese de Prencipi e Potentati, e qualificati Personaggj" a quella di fatti concernenti "genti meccaniche e di piccol affare", cioè alla storia di poveri artigiani.

Tipica della parola romanzesca è la trasfigurazione ironica di concetti propri dello scrittore mettendoli in bocca all'anonimo seicentista e facendoli perciò esprimere in uno stile artificioso e barocco. Proprio del contesto del genere romanzo è anche l'ulteriore abbassamento – questa volta non relativo all'argomento ma al linguaggio, allo stile, un abbassamento linguistico – ottenuto attraverso il "rifacimento della dicitura" ad opera dell'autore Manzoni per evitare le "declamazioni ampollose" del seicentista e per rendere la storia più leggibile e più piacevole.

Propri del contesto del genere romanzo sono inoltre: la parodizzazione della scrittura seicentista (ma c'è anche, come abbiamo detto, l'imitazione e la stilizzazione nei confronti del seicentista Daniello Bartoli, a "rifacimento della dicitura" già avviato); l'accostamento di stili diversi e la presenza, in uno stile, di un altro stile; i giochi di travestimento fra scrittura dell'autore e scrittura altrui (l'autore del romanzo travestito da Anonimo seicentista, il seicentista Daniello Bartoli travestito da autore del romanzo, all'inizio citato del primo capitolo); i giochi di sostituzione fra voce dell'autore narrante e voce del personaggio, sicché pensieri che sembrano appartenere al narratore non fanno che riepilogare o riprendere il pensiero dei personaggi, oppure ciò che è proprio del personaggio viene espresso con la voce del narratore e per giunta attribuendolo al personaggio nella forma del discorso diretto: è il caso del "discorso diretto sostituito" dell'"Addio ai monti" di Lucia).

D) *Il contesto dell'intertestualità: trascrizione e riscrittura*

Un gioco dunque, tipico della scrittura del genere romanzo, fatto di traduzioni, di sostituzioni, di ri-trascrizioni, di interpretazioni, un gioco di rinvii di segni interpretanti, in cui il significato, il riferimento al contesto esterno del testo perdono di importanza, senza tuttavia annullarsi, a vantaggio del rinvio stesso, che, in quanto aperto, in quanto mai concluso, trattiene la lettura – al limite: un "infinito intrattenimento" (Blanchot) – assecondandone i percorsi nello spazio letterario.

L'intero testo del romanzo *I promessi sposi* viene presentato come un interpretante, come una nuova dicitura, come una traduzione endolinguistica del manoscritto anonimo. Nelle pagine iniziali, l'interpretante è una mera *trascrizione*. Ma presto "l'eroica fatica di trascrivere"(che Bartleby, lo scrivano di Melville, conosce bene) viene interrotta. Alla trascrizione si sostituisce la *riscrittura*: il testo interpretante *riscrive* il testo "pre-scritto", stabilisce con esso non un rapporto di rispecchiamento e di identificazione, ma un rapporto di distanza e di alterità.

Nel titolo e nell'introduzione, dunque, ancora una volta nella forma della finzione narrativa, la scrittura dice di se stessa, così come dice dell'autore: essa rivendica il suo carattere di *scrittura* che rifiuta di essere trascrizione. Certo, la "serie de' fatti" è già predisposta, come risulta tramite la finzione del manoscritto anonimo. Ma la fabula non basta, l'intreccio si realizza nella scrittura, è scrittura, e pertanto non può preesistere ad essa riducendola a mera trascrizione.

La scrittura, a differenza della trascrizione, non è la messa in bella di un testo preesistente, di un "dilavato e graffiato autografo", ma è costruzione di un testo che non preesiste ad essa: la scrittura è il testo.

La finzione narrativa del manoscritto anonimo de *I promessi sposi* dice anche che la scrittura, se non è trascrizione, è però pur sempre ri-scrittura: essa rinvia ad altre scritture, ad altri testi. Proprio perché non è significante di un significato autonomamente preesistente ad essa, come nel caso della trascrizione, ma significante di un significante, il quale a sua volta rinvia a un altro significante, senza che ci sia mai un punto fermo nella catena dei rinvii costituito da un significato ultimo, definitivo, la scrittura si dà come ri-scrittura, come scrittura di scrittura, come differimento che la rapporta ad altre scritture, alle quali rimanda pur differendo da esse (è questa differenza-differimento a rendere letterario il testo), in un gioco ambiguo di risonanza, di deformazione e di alterità.

Dunque, all'inizio, già nel titolo e poi nell'introduzione, il testo de *I promessi sposi* fornisce i suoi interpretanti attraverso la forma che gli è propria, come autore di scrittura, come costruzione letteraria, dice della scrittura mostrandone il carattere di ri-scrittura, dice dei rapporti fra autore-scrittore-testo. All'inizio la scrittura racconta se stessa, ma come scrittura non può cominciare da se stessa e perciò mostra come l'inizio debba essere cercato fuori di essa, nel contesto di un'altra scrittura e nel contesto della memoria di un genere, il romanzo. In ogni caso il testo sollecita la lettura ad andare al di fuori del contesto dell'autore e della sua contemporaneità. E non perché il romanzo sia un romanzo storico e i suoi personaggi appartengano, quindi, a un altro tempo, ma perché la parola letteraria fuoriesce, per la sua costitutiva exotopia, dal tempo angusto della contemporaneità e vive in un tempo grande.

E) *Il contesto dell'etica della fabulazione*

La fine è un ritorno dopo il viaggio, dopo l'allontanamento, la separazione. Un motivo ricorrente che collega il genere romanzo all'epos, alla fiaba, al mito. Ma qui, ne *I promessi sposi*, il ritorno è, come il romanzo moderno richiede, un tornare al punto di partenza, in cui non c'è crescita, arricchimento, sviluppo. Tutti gli intrighi su cui la fabula si regge si sono dissolti in maniera naturale, indipendentemente dai progetti, dalla volontà, dalle possibilità dei personaggi.

La parte principale nella soluzione-dissolvimento della vicenda è svolta dall'accadere nella modalità più anonima e neutra, più cieca, più avulsa da qualsiasi disegno: l'accadere della peste, l'accadere del contagio, l'accadere della morte.

I nomi non contano, sono "purissimi accidenti": come nella carta dei Tarocchi, nella loro versione popolare, quella di Marsiglia, la morte, *senza nome*, travolge in maniera indifferenziata: una neutra impersonalità del senza-nome simboleggiata nel romanzo dal dover Renzo risolversi "d'andar di nascosto, travestito, e con un nome finto", o nell'episodio dell'incontro di Renzo con l'amico senza nome che lo scambia per "Paolin de' morti" che viene sempre a tormentarlo perché vada a sotterrare.

Un ritorno, quello di Renzo, alla fine, che non serve a marcare le differenze, a distinguere, a individuare; che non è, come invece per Odisseo, un riconoscimento, una conferma, una riaffermazione e un rafforzamento della propria identità. Al contrario, le differenze vengono perdute. E un interpretante di questo movimento della narrazione verso l'indifferenziato, verso l'anonimo, è dato dall'annullarsi delle differenze, in seguito alla peste, fra i fratelli Tonio e Gervaso.

[...] li parve di raffigurar quel povero mezzo scemo di Gervaso ch'era venuto per secondo testimonio alla sciagurata spedizione. Ma essendosegli avvicinato, dovette accertarsi ch'era infine quel Tonio così sveglio che ce l'aveva condotto. [...] La peste togliendogli il vigore del corpo insieme e della mente, gli aveva svolto in faccia e in ogni suo atto un piccolo e velato germe di somiglianza che aveva con l'incantato fratello (capitolo XXXIII).

Lo stesso Renzo si ritrova, alla fine della storia, con in bocca una morale di cui è difficile scorgere le differenze da quella con cui è caratterizzato, all'inizio del romanzo, Don Abbondio: ciò che Renzo ha imparato dalle sue avventure è – colmo dell'ironia – proprio ciò che Don Abbondio sapeva fin dall'inizio:

"Ho imparato", diceva, "a non mettermi ne' tumulti; ho imparato a non predicare in piazza; ho imparato a non alzare troppo il gomito; ho imparato a non tener in mano il martello delle porte, quando c'è lì intorno gente che ha la testa calda; ho imparato a non attaccarmi un campanello al piede, prima d'aver pensato quel che possa nascere". E certe altre cose (capitolo XXXVIII).

127

Ancora una volta dunque un gioco di scambio delle parti, di sostituzioni, di travestimenti. Una situazione tipica del contesto del genere romanzo sviluppato particolarmente secondo la sua dimensione "carnevalesca", nel senso di Bachtin: alla "familiarizzazione" e all'"abbassamento" presenti fin dall'inizio de *I promessi sposi* si aggiungono ora le altre categorie carnevalesche del mescolamento, dell'avvicinamento, della perdita dell'identità e della differenza.

E ancora una volta la scrittura, raccontando una storia in cui non c'è crescita, non c'è arricchimento, non c'è progetto, obiettivo, né un tendere alla conclusione, dice di se stessa, della sua improduttività, della sua infunzionalità, dice del suo essere un gesto inutile che non tollera né inizio né fine.

Un rapporto saldo viene dunque a stabilirsi fra scrittura e morte, ma non la morte come fine, come conclusione, ma come punto di vista rispetto al quale si ridimensionano le vicende umane, si risolvono nel senso che si dissolvono.

La morte come infondato fondamento della scrittura, come l'ottica nella quale essa si pone, come senso della ripetizione e del ritorno senza che ci sia in esso mai niente di nuovo, fa sì che la scrittura, come non può avere un inizio che non sia un inizio differito, così non può avere una conclusione che non sia rinviata, rimandata, e così svuotata e annullata come conclusione.

È sintomatico nel romanzo *I promessi sposi* – è un altro interpretante di se stesso fornito dal romanzo – che la conclusione venga più volte rinviata, ritardata, alla fine differita e dispersa nelle considerazioni diverse che gli stessi personaggi danno della propria vicenda. Come il gran finale delle bande di paese che viene più volte rinviato per accrescere gli applausi e gli entusiasmi, così il finale della storia viene rimandato più volte, proprio là dove essa sembrava concludersi. Solo che, in questo caso, ciò avviene, al contrario, per raffreddare l'entusiasmo, per ironizzare sul lieto fine, per mostrare la difficoltà di stabilire quale possa essere considerata la conclusione di una vicenda, una volta che essa sia vista nell'ottica della scrittura con il suo tempo improduttivo, non lineare, ma ciclico, che è il tempo del ritorno senza crescita e senza utilità.

Si tratta del rallentamento della sequenza narrativa, presente in tutto il romanzo, tramite le descrizioni e le digressioni, che, proprio come resto, come in più, come parti in cui nulla accade, sono le parti in cui la scrittura, come scrittura intransitiva e infunzionale, come "insensato gioco", come scrittura letteraria, si realizza secondo la sua vocazione dello spreco e della improduttività.

È il caso dell'interruzione della fabula tramite la citazione e il commento delle *gride*, interruzioni che sono parti costitutive della letterarietà, e in particolare della letterarietà della parola del romanzo, per la loro ironia, ivi compresa quella nei confronti dell'erudizione, per il loro carattere parodico, per il mescolamento degli stili, per la loro inutilità rispetto all'"economia narrativa": il succedersi di citazioni per circa tre pagine a proposito delle gride relative ai bravi serve solo "ad assicurarci che, al tempo di cui trattiamo, c'era de' bravi tuttavia", allo stesso modo in cui diversi capitoli iniziali del *Tristram Shandy* di Sterne servono solo ad attestare che il personaggio della storia è effettivamente nato.

Ora giunti alla fine è come se l'autore volesse chiudere la storia con una digressione anziché con una conclusione.

Renzo e Lucia si sono ormai ritrovati, ma la storia non termina.

> Venne la dispensa, venne l'assolutoria, venne quel benedetto giorno: i due promessi andarono, con sicurezza trionfale, proprio a quella chiesa, dove, per bocca di don Abbondio, furono sposi. Un altro trionfo, e ben più singolare, fu l'andare a quel palazzotto (capitolo XXXVII).

Ma il romanzo continua: se la *fabula* può essere considerata conclusa, la scrittura non si considera esaurita e non vuole, fra l'altro, essere al servizio della *fabula*, come invece avverrebbe se abbandonasse proprio ora i suoi personaggi. Essi cambieranno paese; poi lo stato felice di Renzo sarà disturbato, e ci vuole poco perché "basta una corbelleria a decidere dello stato di un uomo per tutta la sua vita". A causa dei pettegolezzi e delle critiche nei confronti di Lucia, Renzo "a forza d'esser disgustato", diverrà "esso stesso disgustoso". Nascerà una bambina, poi nasceranno non so quanti altri figlioli, e Renzo vorrà che imparino tutti a leggere e a scrivere. Il romanzo dunque prosegue narrando anche i fastidiucci dei personaggi.

> L'uomo (dice il nostro anonimo: e già sapete per prova che aveva un gusto un po' strano in fatto di similitudini; ma passategli anche questa, che avrebbe a esser l'ultima), l'uomo fin che sta in questo mondo, è come un infermo che si trova in un letto scomodo, più o meno, e vede intorno a sé altri letti ben rifatti

al di fuori, piani, a livello: e si figura che ci si deve stare benone. Ma se gli riesce di cambiare, appena si è accomodato nel nuovo, comincia, pigiando, a sentire, qui una lisca che lo punge, lì un bernoccolo che lo preme: siamo insomma, a un di presso, alla storia di prima (capitolo XXXVIII).

E la conclusione? Adesso può giungere perché a questo punto non è più una vera conclusione. E, quando finalmente giunge, essa è la conclusione trovata "da povera gente", dagli stessi personaggi, e dice della impenetrabilità delle cose e del disegno divino.

La conclusione, come tutta la scrittura del romanzo, ha un tono che potremmo indicare come qoheletico, dal testo biblico *Qohélet* o l'*Ecclesiaste* (trad. it. Ceronetti 1970).

Ceronetti ha mostrato il rapporto fra i *Canti* ed anche le *Operette morali* di Leopardi e l'*Ecclesiaste* (v. sopra, I. 5 e II.4). Ma forse non meno *qoheletica* è la scrittura del romanzo di Manzoni. Perché è scrittura. Qoheletica non è l'ideologia di chi scrive, ma la scrittura letteraria: per il suo rapporto con la morte, per la sua infunzionalità, per il suo tempo improduttivo, non lineare, ma ciclico, il tempo del ritorno senza crescita e senza utilità. In questo contesto dell'ideologia della scrittura viene a trovarsi ogni altra ideologia, comprese l'ideologia cattolica di Manzoni e quella materialista di Leopardi. La morale cattolica risuona così nel contesto dell'"'etica della fabulazione", secondo la quale ogni edificazione, accumulazione, costruzione, ogni verticalità, risulta fondata sull'orizzontalità, sull'appiattimento, sull'azzeramento della produttività, sull'indifferenza, sulla piattezza di senso, sull'ottusità della fabulazione. L'indifferenza direzionale, l'assenza di principio e di fine, l'apertura massima del senso, per cui la perpendicolarità, l'unidirezionalità, è spostata e fatta vacillare, fino a che l'angolo retto non sia soppiantato da quello ottuso e la torre edificata non vada in rovina nella plurivoracità, equivocità e mancanza di senso di una situazione babelica: è questa la morale della storia. Il contesto della morale cattolica non può spiegare perché il romanzo finisce come finisce coerentemente all'andamento che esso ha fin dall'inizio. Esso deve esser visto nel contesto dell'etica della fabulazione, in cui testi di scrittura come questo si collocano perché si muovono sul piano della orizzontalità letteraria e trasgrediscono la logica dell'accumulazione, della concettualizzazione, della visione e della nominazione.

6.
Per una lettura linguistico-letteraria di una pagina di romanzo

In quest'ultimo capitolo vedremo di trarre alcune conclusioni, impiegando come esempio la lettura di altri testi della letteratura italiana, e in particolare del genere romanzo, abbastanza noti. Ne esamineremo solo qualche brano in modo da consentire un'analisi circoscritta, di tipo "intensivo". Cercheremo anche di dare ulteriori precisazioni sul tipo di approccio, interpretativo e didattico, da noi proposto nei confronti del testo letterario.

L'analisi di un testo letterario si orienta generalmente verso la sua contestualizzazione. Il contesto può essere di diverso tipo. Se si tratta di un brano, di una parte di un testo più ampio, come nel nostro caso, il contesto a cui riferirsi nell'interpretazione può essere il contesto del testo intero, dell'opera a cui appartiene, il romanzo di cui fa parte. Oppure il contesto cui riferirsi è costituito dalla produzione complessiva dell'autore, dalle sue fonti, dal contesto biografico, dal contesto della sua complessiva concezione poetica e ideologica, dalla sua contemporaneità, dal contesto del genere letterario cui appartiene e della sua storia, ecc. In tutti questi casi, si tratta di un contesto "vicino" o "immediato".

Può però trattarsi anche di un *contesto "lontano"* o *"mediato"* – che è quello che maggiormente ci interessa nell'approccio che stiamo proponendo.

In tal caso il testo viene messo in rapporto con testi e contesti a cui esso non è già di per se stesso collegato. Usando il linguaggio che abbiamo proposto (v. sopra, I.1 e I.2) riprendendolo da Peirce, potremmo dire che i suoi interpretanti, cioè i segni che lo interpretano, che gli danno significato e senso, non sono con esso, come negli altri casi che abbiamo indicato, in un rapporto di contiguità e causalità, cioè non sono segni di tipo "indicale". Neppure si tratta di interpretanti che sono di tipo "simbolico" o "convenzionale", come quando si fa riferimento alla convenzione linguistica, alla lingua impiegata dal testo e agli usi linguistici di cui esso si avvale: cosa che avviene in analisi tipo lingui-stico-filologico, ma anche nel lavoro di traduzione, dove il testo è interpretato attraverso il rapporto fra esso e la sua lingua per essere messo in rapporto con un'altra lingua, un'altra convenzione linguistica.

Invece nel caso in cui il testo venga letto nel contesto che abbiamo indicato come *mediato* o *lontano*, gli interpretanti, i segni che lo interpretano, sono svincolati dalla contiguità/causalità e dalla convenzionalità: essi sono inter-pretanti "iconici" nel senso di Peirce, cioè basati sulla somiglianza.

Questa somiglianza può essere superficiale o anche apparente: in tal caso usando il linguaggio della biologia genetica ripreso da Rossi-Landi nello stu-dio dei segni, parleremo di semplici "analogie". Oppure può trattarsi di somi-glianze profonde di ordine genetico e strutturale: in tal caso parleremo di "omologie". In entrambi i casi inoltre la contestualizzazione consiste nell'"intertestualità": il testo viene letto in rapporto ad altri testi, ma non quelli con cui esso è direttamente collegato, come possono essere le sue fonti o i testi a cui intenzionalmente si riferisce, ma i testi che esso, in maniera non inten-zionale e diretta, "ricorda", "richiama", per somiglianza. Potremmo parlare perciò di "intertestualità iconica".

Se la somiglianza è solo per "analogia", l'accostamento del testo a un altro testo, la sua lettura facendolo risuonare nel rapporto con altre letture, è soltan-to un fatto soggettivo, rientra nell'esperienza soggettiva del lettore. Invece nel caso della somiglianza per "omologia", il testo risulta collegato ad altri testi nei suoi aspetti *genetici* e *strutturali*, nella sua *oggettività* e *materialità* di testo. Trattandosi di un testo letterario, l'intertestualità iconica per omologia può permetterne l'interpretazione *proprio come testo di scrittura letteraria*, può riuscire a mostrarne le caratteristiche e la formazione nella sua peculiare prospettiva di testo artistico, di testo letterario.

Ogni analisi di ciascun contesto ha la sua funzione, la sua importanza, che ci aiuta a capire meglio le molteplici tonalità di un'opera artistica, in questo caso di un testo letterario. Ma, come ci fa notare Bachtin, per riconoscere un'opera d'ar-te in quanto tale, non è sufficiente analizzarla solo nel contesto immediato in cui vive e nella sua contemporaneità, perché, così facendo, ne limiteremmo e ne circoscriveremmo il significato e l'artisticità in un "tempo piccolo".

Dunque per meglio "comprendere" un qualsiasi testo letterario ci sembra importante non solo collocarlo nel suo contesto (che influenza e condiziona certamente sia la resa dell'opera, sia quella dell'autore), ma anche la contemporanea operazione di liberazione del testo dalla sua contemporaneità, sradicandolo da qualsiasi altro contesto (pensiero dell'autore compreso) e mettendolo così in relazione e in dialogo con altri testi (cronologicamente lontani ma vicini per iconicità omologica) di cui *sa* (nel senso di "aver sapore", e non necessariamente nel senso di "avere conoscenza") il testo che ci interessa.

Tenendo conto dell'intertestualità iconico-omologica potremo sia comprendere le molteplici sfaccettature di un testo letterario, sia dare al testo letterario il giusto valore di opera d'arte. Infatti solo con il confronto e con il dialogo con altri testi lontani nello spazio e nel tempo (nel "tempo grande", come direbbe Bachtin) è possibile valutare un testo come opera d'arte.

Partendo da questi presupposti e avvalendoci di ciò che abbiamo detto fin qui nel corso della nostro lavoro, faremo tre proposte di analisi di altrettante pagine di romanzo, fornendo così degli ulteriori esempi di lettura del testo che, per il loro carattere ben circoscritto, possono risultare più efficaci di quelli precedentemente proposti.

A) *Da Svevo,* Senilità*: la pagina iniziale*

Subito, con le prime parole che le rivolse, volle avvisarla che non intendeva compromettersi in una relazione troppo seria. Parlò cioè a un dipresso così: – T'amo molto e per il tuo bene desidero ci si metta d'accordo di andare molto cauti –. La parola era tanto prudente ch'era difficile di crederla detta per amore altrui, e un po' più franca avrebbe dovuto suonare così: – Mi piaci molto, ma nella mia vita non potrai essere giammai più importante di un giocattolo. Ho altri doveri io, la mia carriera, la mia famiglia.

La sua famiglia? Una sorella non ingombrante né fisicamente né moralmente, piccola e pallida, di qualche anno più giovane di lui, ma più vecchia per carattere o forse per destino. Dei due, era lui l'egoista, il giovane; ella viveva per lui come una madre dimentica di se stessa, ma ciò non impediva a lui di parlarne come di un altro destino importante legato al suo e che pesava sul suo, e così, sentendosi le spalle gravate di tanta responsabilità, egli traversava la vita cauto, lasciando da parte tutti i pericoli ma anche il godimento, la felicità. A trentacinque anni si trovava nell'anima la brama insoddisfatta di piaceri e di amore, e già l'amarezza di non averne goduto, e nel cervello una grande paura di se stesso e della debolezza del proprio carattere, invero piuttosto sospettata che saputa per esperienza.

La carriera di Emilio Brentani era più complicata perché intanto si componeva di due occupazioni e due scopi ben distinti. Da un impieguccio di poca importanza presso una società di assicurazioni, egli traeva giusto il denaro di cui la famigliuola abbisognava. L'altra carriera era letteraria e, all'infuori di una riputazioncella – soddisfazione di vanità più che d'ambizione – non gli rendeva nulla, ma lo affaticava ancora meno. Da molti anni, dopo di aver pubblicato un romanzo lodatissimo dalla stampa cittadina, egli non aveva fatto nulla, per inerzia non per sfiducia. Il romanzo, stampato su carta cattiva, era ingiallito nei magazzini del libraio, ma mentre alla sua pubblicazione Emilio era stato detto soltanto una grande speranza per l'avvenire, ora veniva considerato come una specie di rispettabilità letteraria che contava nel piccolo bilancio artistico della città. La prima sentenza non era stata riformata, s'era evoluta.

Per la chiarissima coscienza ch'egli aveva della nullità della propria opera, egli non si gloriava del passato, però, come nella vita cosi anche nell'arte, egli credeva di trovarsi ancora sempre nel periodo di preparazione, riguardandosi nel suo più segreto interno come una potente macchina geniale in costruzione, non ancora in attività. Viveva sempre in un'aspettativa, non paziente, di qualche cosa che doveva venirgli dal cervello, l'arte, di qualche cosa che doveva venirgli di fuori, la fortuna, il successo, come se l'età delle belle energie per lui non fosse tramontata.

Angiolina, una bionda dagli occhi azzurri grandi, alta e forte, ma snella e flessuosa, il volto illuminato dalla vita, un color giallo di ambra soffuso di rosa da una bella salute, camminava accanto a lui, la testa china da un lato come piegata dal peso del tanto oro che la fasciava, guardando il suolo ch'ella ad ogni passo toccava con l'elegante ombrellino come se avesse voluto farne scaturire un commento alle parole che udiva. Quando credette di aver compreso disse –. Strano – timidamente guardandolo sottecchi. – Nessuno mi ha mai parlato così –. Non aveva compreso e si sentiva lusingata al vederlo assumere un ufficio che a lui non spettava, di allontanare da lei il pericolo. L'affetto che egli le offriva ne ebbe l'aspetto di fraternamente dolce.

Fatte quelle premesse, l'altro si sentì tranquillo e ripigliò un tono più adatto alla circostanza. Fece piovere sulla bionda testa le dichiarazioni liriche che nei lunghi anni il suo desiderio aveva maturate e affinate, ma facendole, egli stesso le sentiva rinnovellare e ringiovanire come se fossero nate in quell'istante, al calore dell'occhio azzurro di Angiolina. Ebbe il sentimento che da tanti anni non aveva provato, di comporre, di trarre dal proprio intimo idee e parole: un sollievo che dava a quel momento della sua vita non lieta, un aspetto strano, indimenticabile, di pausa, di pace. La donna vi entrava! Raggiante di gioventù e bellezza ella doveva illuminarla tutta facendogli dimenticare il triste passato di desiderio e di solitudine e promettendogli la gioia per l'avvenire ch'ella, certo, non avrebbe compromesso.

Egli s'era avvicinato a lei con l'idea di trovare un'avventura facile e breve, di quelle che egli aveva sentito descrivere tanto spesso e che a lui non erano toccate mai o mai degne di essere ricordate. Questa s'era annunziata proprio facile e breve. L'ombrellino era caduto in tempo per fornirgli un pretesto di avvicinarsi ed anzi – sembrava malizia! – impigliatosi nella vita trinata della fanciulla, non se n'era voluto staccare che dopo spinte visibilissime. Ma poi, dinanzi a quel profilo sorprendentemente puro, a quella bella salute – ai retori corruzione e salute sembrano inconciliabili – aveva allentato il suo slancio, timoroso di sbagliare e infine s'incantò ad ammirare una faccia misteriosa dalle linee precise e dolci, già soddisfatto, già felice.

L'analisi del testo letterario che stiamo proponendo può essere indicata come di tipo *linguistico-letterario*, dove "linguistico" non si riferisce al campo della linguistica ma al suo ampliamento nella direzione di ciò che Bachtin, studiando Dostoevskij, chiama "metalinguistica". Potremmo anche dire che la nostra analisi è di tipo *semiotico*. Va però precisato che la nostra semiotica del testo letterario assume, come abbiamo già detto sopra, "del testo letterario" come *genitivo soggettivo*: essa si pone, cioè, dal punto di vista del testo, lasciandolo vivere come *soggetto* anziché ridurlo ad *oggetto* su cui applicare categorie e schemi interpretativi.

Tale semiotica del testo si orienta secondo una prospettiva *intertestuale*, in base alla quale il testo in esame, in quanto testo letterario, viene considerato nel *contesto della letteratura* e dunque nel rapporto di *similarità* (non superficialmente *analogico*, ma *omologico*, cioè concernente somiglianze di ordine *genetico* e *strutturale*) con la parola dei testi letterari, in primo luogo quelli del genere letterario cui appartiene, il romanzo. Questa analisi si muove lungo i confini di quella linguistica, filologica e critico-letteraria, e mantiene sullo sfondo gli altri contesti a cui il testo appartiene oltre a quello specificamente letterario. Prima di passare a considerare il testo in esame *nel contesto del discorso letterario* e del suo genere letterario, conviene accennare brevemente al suo rapporto con gli *altri contesti* rispetto ai quali esso si configura nella sua particolare identità.

L'analisi del testo può giovarsi della sua collocazione nel *contesto dell'opera cui appartiene*, il romanzo *Senilità*. Questo brano è proprio l'inizio del romanzo. Si tratta di un inizio "all'improvviso", a discorso già avviato, ad avvenimenti già accaduti: "Subito con le prime parole che le rivolse volle avvisarla...". Emilio Brentani, scrittore come Alfonso Nitti di *Una vita*, intellettuale fallito, e tuttavia ancora in attesa di successo ed anche tenuto in conto nel "bilancio artistico" della sua città, legato ad un "impieguccio", vive con la sorella Amalia, la sua "famiglia" (*Emilio* e *Amalia* – quest'ultima in qualche modo suicida come Alfonso Nitti, protagonista di *Una vita* –: nell'equivalenza fonica dei nomi già risulta il contrappunto, la complementarietà, di questi due personaggi). Emilio tenta un rapporto d'amore, di tipo "letterario", con Angiolina, personaggio che resta indefinito e sfuggente per tutto il romanzo. Ma il tentativo di farsi con lei una storia, che potesse anche ridargli l'"ispirazione" nella scrittura, si rivelerà così deludente che il carattere fallimentare del protagonista dovrà rinunciare anche al suo "romanzo vissuto", oltre che alle sue velleità di intellettuale.

L'interpretazione del testo può avvalersi della considerazione della *principale produzione del suo autore*, cioè del rapporto tra *Senilità*, il precedente romanzo *Una vita* e il successivo *La coscienza di Zeno*. Malgrado la distanza di anni che intercorre tra i tre romanzi, soprattutto tra il secondo e il terzo (*Una vita* è del 1882, *Senilità* del 1898, *La coscienza di Zeno* del 1923), tra Alfonso Nitti, Emilio Brentani e Zeno Cosini c'è un' "aria di famiglia"; come dice lo stesso autore, essi sembrano "fratelli", sicché la lettura del testo che riguarda l'uno può giovarsi della lettura che riguarda gli altri.

La lettura del testo può avvalersi del suo inserimento nel *contesto della vita dell'autore e delle caratteristiche storico-culturali e geografiche del luogo della sua produzione*. Il *Profilo autobriografico* in cui Svevo, ovvero Aron Hector Schmitz, nato nel 1861 da genitori ebrei, delinea la propria autobiografia, inizia appunto con la descrizione della città di Trieste e delle sue caratteristiche di città collocata in rapporto alla cultura dell'Europa centrale e, in quanto importante porto dell'impero asburgico, luogo di incontro lingue e di culture diverse.

Pure importante è il *contesto letterario della formazione dello scrittore*, il riferimento alle sue letture di Shiller, Heine, Goethe (ci sono certamente dei rapporti tra Emilio Brentani e il giovane Werther, di cui però Emilio è la versione grottesca rispondente alla situazione storica del proprio tempo), al suo interesse per i naturalisti francesi, Balzac, Flaubert, Zola, per la filosofia di

Schopenhauer. Anche il rapporto con i testi di questi autori, fa parte della intertestualità del testo preso in esame.

Ma, come abbiamo detto, l'intertestualità non riguarda unicamente il *rapporto del testo con le fonti* (secondo l'interpretazione che, per esempio, ne dà Cesare Segre), rapporto caratterizzato dalla presenza di precise intenzioni e allusioni. Affermare il contrario, significa operare una riduzione filologica del termine "intertestualità". Proprio Bachtin, che non usa il termine "intertestualità", ma parla di "interconnessione storica fra i testi" (Bachtin, "Il problema del testo", 1959-61), ha dato un notevole contributo al superamento della pregiudiziale "filologica" del concetto di "intertestualità". L'intertestualità del testo consiste nella contestualizzazione del testo nello "spazio della letteratura" (Blanchot) e quindi in rapporti molto più numerosi, più complessi e più, se non del tutto, incontrollabili da parte dell'autore. Di questa intertestualità si occupa l'approccio semiotico di cui parleremo tra poco, se la semiotica, come ebbe occasione di precisare Maria Corti al convegno AISS (Associazione Italiana di Studi Semiotici) *L'intertestualità,* 1982, non si vuole ridurre ad essere la disciplina che dice con parole poco note cose già note, sicché parlare di "intertestualità" sarebbe parlare della vecchia nozione delle fonti (v. anche Ponzio 1985: 31).

L'intertestualità letteraria in cui vivono gli eroi di Svevo li mette in rapporto anche con gli eroi del romanzo russo da *Evgenij Onegin* di Puškin fino al dostoevskiano "uomo del sottosuolo".

La lettura del testo può giovarsi del suo inserimento nel *contesto della complessiva concezione della scrittura di Svevo, nella sua "poetica".* Su questo approccio conviene soffermarci di più rispetto agli altri, perché esso è un primo avvio all'esame del testo nel contesto letterario, nell'intertestualità dello "spazio letterario" (Blanchot), anche se, in questo approccio, tale contesto è limitato a quello della scrittura letteraria del suo autore. È inoltre importante per la nostra analisi semiotica il fatto che considerando il testo nella "poetica" di Svevo, passiamo a un tipo di analisi il cui interesse non è tanto di ordine tematico (come soprattutto avviene nelle contestualizzazioni sopra accennate) ma concerne soprattutto lo *sguardo* specifico che il punto di vista della letteratura, secondo la posizione assunta dall'autore, permette nei confronti della realtà.

Per Svevo, la letteratura, e, per quanto riguarda il genere, il romanzo, non è diletto, evasione e neppure sfoggio del "bello scrivere". È invece indagine, sperimentazione, messa a nudo della natura umana e dei problemi della vita. La vita è descritta come si descrive una malattia, ed è studiata non quando si propone come slancio vitale, ma quando è come bloccata da una interna incapacità di normale realizzazione. Il romanzo per Svevo non è rappresentazione di vicende, ruoli e caratteri psicologici, ma documento della moderna condizione umana. La coscienza non è un mondo immaginario e privato, ma luogo di verifica, di registrazione, di rendiconto, di chiaroveggenza circa un malessere, visibile nelle parole e nelle azioni dei personaggi, che riguarda la realtà del loro tempo.

La scrittura diventa il mezzo più adeguato, per la sua capacità di mediazione, di oggettivazione, di distanziamento, di "exotopia" (Bachtin), per raffigurare l'incapacità, l'"inettidudine" (*Un inetto* era il titolo originario di *Una vita*) ad aderire alla vita, a identificarsi con i ruoli e le funzioni che la realtà impone, a parlare e ad agire secondo le regole previste nell'"ordine del discorso" (Foucault). La scrittura diviene diagnosi dello scarto tra l'essere dell'individuo come la realtà lo vorrebbe e come pure egli stesso vorrebbe essere conformandosi ad essa, alle sue norme, ai suoi programmi, ai suoi stereotipi, da una parte, e la sua oggettiva impossibilità, la sua resistenza non voluta, non scelta, la sua costituzionale refrattarietà a conformarsi ai modelli e ai progetti.

Non si tratta soltanto di modelli e di stereotipi della rappresentazione ordinaria, ma anche di quella della letteratura una volta divenuta luogo comune, repertorio di stati d'animo, comportamenti e relazioni esemplari. La scrittura dei romanzi di Svevo diventa perciò anche parodia, ironia, presa in giro del discorso letterario e del genere romanzo. Il personaggio di Svevo non solo non sa essere come la realtà lo vuole, ma anche come la letteratura, divenuta essa stessa parte della tradizione e della memoria culturale, lo vorrebbe in certe situazioni, in certi sue reazioni previste, obbligate, secondo copione, in conformità del testo pre-scritto.

Il passivo assentarsi del personaggio dai "luoghi comuni", reali e letterari, è dovuto a una costituzionale incapacità, la cui presa di coscienza non è soluzione, non è guarigione e salute. Al contrario la presa di coscienza, quando a momenti si manifesta, malgrado l'autoinganno, lo sforzo di adattamento, la ricerca di uno spazio in cui rinchiudersi, è acuirsi ed esasperarsi dello scarto stesso che rende il protagonista inadatto, inetto, ed ogni sua iniziativa fiacca e fallimentare. La presa di coscienza non è recupero della normalità da parte del protagonista; l'analisi non è risolutiva, e, se perviene alla "guarigione", come alla fine della *Coscienza di Zeno*, è solo nel senso di una *finissima ironia*. Al contrario, la presa di coscienza, che convive con il gioco dell'autoinganno e con lo sforzo di costruirsi uno spazio al sicuro da qualsiasi responsabilità, preoccupazione, delusione, è l'evidenziarsi della propria inevitabile assenza da qualsiasi "luogo" dell'ordine del discorso in cui il personaggio dovrebbe e vorrebbe realizzare la propria presenza; è inquietante consapevolezza di una incontenibile alterità che sfugge da tutte le parti, come da un sacco bucato, dalla propria identità (v. Lévinas, "La realtà e la sua ombra", 1948).

Passiamo ora all'analisi linguistico-letteraria, o metalinguistica o semiotica del testo, nel senso sopra precisato. Essa consiste *nel considerarlo nel contesto della scrittura letteraria*, nell'intertestualità dello spazio letterario. Indichiamo questo tipo di approccio come "semiotico" anche perché considera il testo come "segno" di quel particolare tipo di rapporto del discorso con la realtà che è quello letterario. Questo rapporto non è, come nei generi di discorso della parola diretta, della parola ordinaria, un rapporto di *rappresentazione*, ma un rapporto di *raffigurazione*. Nella letteratura il discorso non informa, non giudica, non insegna, non comanda, non prescrive. Esso è discorso sul discorso, parola sulla parola. Il discorso della letteratura appartiene, come dice Bachtin, ai "generi secondari", quelli che raffigurano i "generi primari" del discorso, i generi della parola ordinaria, rivolta a uno scopo, della parola *oggettiva* appartenente a un soggetto, a un ruolo, a una situazione.

Nella letteratura la parola viene distanziata, diventa parola *oggettivata*, discorso riportato. Il genere romanzo è il genere che meglio riesce a realizzare la raffigurazione della parola. Qui il discorso sul discorso, che già in quanto tale, è predisposto al dialogo, ha la possibilità di realizzarsi come massimamente dialogico. Nella parola riportata risuona la parola che riporta, e viceversa, la parola che riporta contiene modalità espressive del discorso riportato, ma non nel senso che lo imita, che lo riproduce, che lo rappresenta. Lo ripropone invece da un altro punto di vista, nel contesto di una parola altra, approvandolo, caricaturizzandolo, facendogli il verso, raffigurandolo con ironia. In tal modo il discorso non è più, come nella parola oggettiva, nel discorso diretto, nel discorso della rappresentazione, espressione di un unico punto di vista; ma più punti di vista si incontrano in un rapporto dialogico: un dialogo non formale, ma interno alla parola stessa. Come abbiamo già detto, Bachtin ha dimostrato, nel primo capitolo di un suo scritto degli anni venti, "L'autore e l'eroe", analizzando una poesia di Puškin, "La separazione", che persino nel genere idillico, in cui sembra esprimersi una sola voce, sono presenti più punti di vista, e il carattere poetico del testo nasce proprio dai rapporti di alterità che la parola riesce a raffigurare assumendo intonazioni e risonanze di parola altra. Ma il romanzo può fare questo fino a raggiungere ciò che Bachtin chiama "carattere polifonico".

Nella scrittura letteraria, la parola che riporta ha con la parola riportata un rapporto iconico, che non è di imitazione, di riproduzione, di riferimento: essa, per usare le parole di Paul Klee, non "rende il visibile", nel nostro caso la parola così come viene realizzata nella vita ordinaria, ma rende "visibile", mostra la dialogità interna della parola, la sua ambivalenza, la sua alterità, che nell'uso diretto della parola, nella parola "propria", la parola dei ruoli e delle identità personali, non è immediatamente percettibile. Bachtin fa notare che un'analisi linguistica che si limiti allo studio del discorso dei generi primari, e non prenda in considerazione la raffigurazione che di essi realizzano i generi secondari, appiattisce il prorio oggetto e non coglie l'intrinseca dialogicità della parola, il suo prodursi nel punto di incrocio di punti di vista diversi.

Senilità inizia con un discorso sulla parola, con una parola che reagisce ad un'altra parola ("reazione a una reazione", dice Bachtin ironizzando sulla linguistica behaviorista), che dialoga con un'altra parola: "Con le prime parole che le rivolse, volle, ecc.".

Il testo non inizia con le parole dell'eroe, ma con le parole che commentano le sue parole. Le parole dell'eroe non le conosciamo se non nella forma in cui l'autore subito dopo le riporta, non come effettivamente furono pronunciate, ma come "a un dipresso" esse sono state espresse o come "avrebbero dovuto suonare" se proferite con maggiore franchezza. Il commento che le precede non è un giudizio, ma una semplice esplicitazione del senso. Il che non significa che tale senso sia riportato in maniera indifferente. Si sente che il discorso che riporta è con il discorso riportato in rapporto di "non-indifferenza" (Lévinas). Veniamo a conoscere il *senso* di ciò che l'eroe ha detto, prima ancora di sentire le sue oggettive parole.

L'interpretazione del senso ha certamente le parole del personaggio come suo oggetto, come suo referente, ma non si pone nei termini di un "segno interpretante" (Peirce) che *identifica*, che rappresenta, ma di un interpretante di *comprensione rispondente*, che dialoga con l'interpretato, che è con esso in un dialogo serrato e continuo, e quindi è interessato al *senso*, più che al *significato* testuale. In dialogo con l'interpretato, l'interpretante reagisce dialogicamente all'intenzione, più che alla lettera.

Il brano non inizia facendoci conoscere ciò che il personaggio disse, ma il senso di quello che disse, e il senso era che non voleva compromettersi in una relazione troppo seria. Non c'è la rappresentazione del soggetto parlante e non c'è la rappresentazione del soggetto a cui la parola è rivolta (dal pronome femminile – "volle avvisar*la*" – intuiamo che in questo caso si tratta di una donna), ma c'è la raffigurazione di un discorso il cui senso è l'intenzione di non "compromettersi in una relazione troppo seria". L'implicito, il sottinteso, viene esplicitato prima dell'esplicito: perché, appunto, al discorso letterario non interessa rappresentare la parola oggettiva, ma raffigurare la parola interpretata da un'altra parola, non interessa il visibile, ma l'invisibile, non interessa il soggetto, ma la sua voce resa doppia, altra, dal suo risuonare in un'altra voce.

Alla parola del personaggio viene data priorità rispetto al suo nome, a differenza di ciò che accade nella rappresentazione, in cui il discorso ha un nome, un soggetto identificato, come punto di partenza. Per la parola letteraria, i nomi, come si dice ne *I promessi sposi* (lo abbiamo visto), proprio quando il Manzoni che ha trovato lo "scartafaccio" della storia milanese del Seicento decide non di trascriverla ma di *riscriverla* (la scrittura letteraria non è trascrizione ma riscrittura; lo scrittore è colui che come il copista di Melville nei confronti della trascrizione, della scrittura come rappresentazione, come riproduzione, dice "I prefer not to"), sono solo "purissimi accidenti". Nella scrittura letteraria la nominazione è secondaria, come sono secondari i ruoli. Quando i nomi e i ruoli sono introdotti, quando sappiamo che le parole di cui la voce narrante ci ha prima di tutto spiegato il senso appartengono a Emilio Brentani e ne conosciamo il mestiere e la "responsabilità" per la sua "famiglia" e quando sappiamo che la persona a cui si rivolge si chiama Angiolina, il rapporto fra i personaggi a cui questi nomi appartengono è stato già raffigurato come una relazione che colui che prende l'iniziativa di avviarla vuole che non sia "troppo seria". I nomi non sono gli appendiabiti della parola, ma sono essi stessi oggetto di raffigurazione, non hanno un valore né indicale, né convenzionale, ma iconico (Emilio e Amalia, l'assonanza già menzionata, raffigurazione di un certo particolare rapporto tra i fratelli e tra essi e gli altri personaggi).

Il personaggio parla nella forma del discorso diretto, ma non con la "sua voce", ma con quella dell'autore, però non con la voce diretta dell'autore, che come "autore uomo" si rende invisibile nell'opera, e che come "autore creatore" coincide con l'architettonica complessiva dell'opera stessa, ma con la "voce narrante". Il discorso diretto con cui l'autore fa parlare il personaggio è qui ciò che si chiama "discorso diretto sostituito" della voce narrante (come nel caso del famoso brano di addio ai luoghi natii di Lucia de *I promessi sposi*). Non si tratta delle parole testuali dell'eroe, ma di ciò che egli più o meno avrebbe detto secondo la voce narrante, che dunque si infiltra nelle sue parole e le fa risuonare di una parola altra, anche se nella forma del discorso direttamente riportato. Il discorso benché tra virgolette, non è più rappresentato, come può avvenire nel discorso non letterario nel caso della citazione: la parola diretta viene raffigurata, non più parola oggettiva del personaggio, ma parola oggettivata da un punto di vista altro, non si trova più soltanto nel proprio contesto, ma è guardata, spiata da un altro contesto, da un'altra architettonica, diversa cronotopicamente (per le coordinate spazio-temporali) e assiologicamente (per il sistema dei suoi valori) da quella in cui si trova rinchiusa la visione del personaggio.

La voce narrante incalza l'eroe, la sua "parola tanto prudente", che anche quando vuol essere dichiarazione d'amore, non è difficile intuire che non è "detta per amore altrui". La voce narrante fa dire all'eroe, nella forma del discorso diretto sostituito, non solo il senso espresso diplomaticamente, prudentemente, con una certa dose di ipocrisia, ma anche il senso nascosto, che, solo se egli fosse capace di franchezza, esprimerebbe. Eppure, quando lo fa parlare in questa maniera esplicita, quando gli fa dire francamente, nel suo primo approccio ad Angiolina, "nella mia vita non potrai essere giammai più importante di un giocattolo", tuttavia le parole che usa per giustificare questa affermazione di cautela, di messa in guardia, di deresponsabilizzazione, sono proprio quelle che avrebbe impiegato l'eroe: "Ho altri doveri io, la mia carriera, la mia famiglia". Sono così proprie dell'eroe queste parole, così gli appartengono, che la voce narrante si pone ironicamente in polemica con esse ("La sua famiglia?"). È un discorso diretto sostituito, eppure le parole risuonano come proprie del personaggio; sono sue parole oggettive, eppure risuonano come il discorso che le riporta stesse facendo loro il verso.

La parola oggettivata del personaggio non diventa mai parola oggettiva, isolata dal rapporto dialogico con il discorso riportante del narratore. Infatti come nel "romanzo polifonico" inaugurato da Dostoevskij, la voce del narratore non è quella di un osservatore non partecipe; e anche se parla del personaggio alla terza persona, ne parla prendendo parte, reagendo, alle sue parole come se fosse in sua presenza, in un rapporto io-tu, e si rivolgesse a un terzo, il destinatario; e non come se parlasse a quest'ultimo di un altro reso distante e reso oggetto grazie all'impiego del pronome "egli".

Nella pagina che stiamo commentando si nota subito la triangolazione narratore-eroe-destinatario, e si evidenzia questa posizione dell'eroe in presenza, sullo stesso piano del narratore e del destinatario, un eroe che l'autore provoca, sfida, "marca" (in senso calcistico) continuamente, a cui potrebbe dare benissimo del tu mentre sta parlando di lui, e su cui ironizza ammiccando al destinatario, facendogli segno di non prendere sul serio quello che il personaggio sta dicendo: "La sua famiglia?" Quale famiglia? Ha solo una sorella! Per giunta "non ingombrante"; non solo, ma è lei che si prende cura di lui "come una madre dimentica di se stessa". Ma lui, ascoltatelo, si sente le spalle gravate di tanta responsabilità! E non è che finga. Ne è convinto. O se finge inganna prima di tutto se stesso, perché il "peso di tanta responsabilità" lo rende non solo "cauto", "prudente", non solo incapace di dire veramente qualcosa "per amore altrui", ma rinunciatario nei confronti di ogni godimento e felicità, pur avendo, o avendo di conseguenza, ormai trentacinquenne, "una brama insoddisfatta di piaceri e di amore".

La responsabilità per la sorella, questo ci dice la voce narrante – e lo dice al lettore di faccia al personaggio, non alle sue spalle, mentre il dialogo con Angiolina si sta ancora svolgendo, anzi appena l'eroe ha proferito parola e prima ancora che ci venga detto chi è la "lei" a cui egli si sta rivolgendo –, è solo un alibi. Si tratta di un "egoista", nei confronti della sorella, la quale, se per "senilità" lo supera, se è "più vecchia di carattere o forse per destino", tuttavia a lui si dedica come una madre. Se l'eroe invece ha "brama d'amore", non è nel senso di volerlo dare, di volerlo provare verso altri, ma solo di riceverlo, di averlo per sé. La sua prudenza, la sua cautela, il suo dover evitare ogni rischio e ogni pericolo non sono dovuti, ci dice la voce narrante, ai suoi doveri familiari, ma solo a "una grande paura di se stesso e della debolezza del proprio carattere". Debolezza di carattere, aggiunge il narratore, che non è stata però sperimentata – e ciò sempre per cautela, per prudenza – ma solo "sospettata" dall'eroe: "piuttosto sospettata che saputa per esperienza".

Anche riguardo a ciò che il personaggio chiama la "sua carriera", la parola del narratore opera un "abbassamento": la carriera viene sminuita presentandola come costituita da un "impieguccio", per giunta "di poca importanza", da cui trae giusto il denaro di cui la "famiglia" connotata ora come "famigliola" (termine in cui si sente al tempo stesso al voce dell'eroe e quella del narratore) ha bisogno. Se la carriera di Emilio Brentani si presenta anche come "letteraria" per il fatto che molti anni prima ha pubblicato un romanzo, tale occupazione "non gli rendeva nulla, ma lo affaticava ancora meno", all'infuori di una "riputazioncella" che serve a soddisfare più la sua "vanità" che la sua "ambizione", visto che dopo quel romanzo non ha prodotto più nulla e non "per sfiducia", perché, anzi, vive sempre in aspettativa dell'arte e del successo, ma per "inerzia".

Come parlare di un eroe che evita l'azione, la cui fiacchezza, la cui "senilità" è da lui stesso sospettata, più che provata? L'unico mezzo è parlare della sua parola, ironizzando su di essa, facendola scoprire nel suo carattere ipocrita, egoista, nei suoi tentativi di deresponsabilizzazione e di scappatoie. Siamo, dopo Dostoevskij, ormai di fronte a un personaggio che, come "l'uomo del sottosuolo", non tanto nell'azione, quanto nella parola, si rivela; e non nella parola isolatamente e oggettivamente presentata, ma in continuo dialogo con la parola del narratore che si rivolge al destinatario punzecchiando, caricaturizzando, "abbassando" la parola dell'eroe, facendola risuonare come doppia, come falsa, anche in una sorta di buona fede, di autoinganno. Ne *La coscienza di Zeno* la parola del personaggio si presenterà da sola, nella forma della scrittura diaristica, ma ugualmente risuonerà come identica e altra, come doppia, come capace di distanziamento da se stessa, di exotopia e dunque come una sorta di autoritratto che è raffigurazione, e non riproduzione, copia, imitazione, riflesso speculare. Ciò perché anche in questo caso c'è un punto di vista extralocalizzato da cui l'eroe è osservato: il personaggio nel suo diario *si ritrae da sé* non solo nel senso dell'autoritrarsi, ma anche nel senso che si distanzia da sé, che si guarda come altro.

La parola del narratore nei confronti dei due personaggi che compaiono nel brano in esame, Emilio e Angiolina, alcune volte è ambigua e discreta ("la testa china [...ecc.] come se avesse voluto farne scaturire un commento alle parole che udiva"; "l'ombrellino era caduto in tempo [...ecc.] sembrava malizia"); altre volte invadente e corrosiva ("ai retori corruzione e salute sembrano inconciliabili"); altre volte complice e giustificativa ("Ebbe il sentimento [...ecc.] un sollievo che dava a quel momento della sua vita non lieta, un aspetto strano, indimenticabile, di pausa, di pace. La donna vi entrava!"); altre volte ancora, distante e impietosa ("come se l'età delle belle energie per lui non fosse tramontata"). Ma in ogni caso mai il personaggio – come dice Devuškin, personaggio di *Povera gente* di Dostoevskij, descrivendo il personaggio del *Cappotto* gogoliano – si sente soppesato, misurato e definito fino in fondo, predeterminato e già morto prima di morire (v. Bachtin 1963). Di lui non si può mai dire "eccoti sei tutto qui". La parola del narratore di *Senilità*, come risulta fin dall'inizio, commenta, esplicita le intenzioni di Emilio Brentani, ne mette a nudo le debolezze, ma lo lascia essere "eroe incompibile", senza mai sottoporlo a giudizi definitivi e a conclusioni ultime. E soprattutto indefinibile resta Angiolina, che non solo si sottrae agli stereotipi femminili del linguaggio ordinario, ma elude anche le aspettative del lettore abituale di romanzi.

B) Da Pirandello, *Uno, nessuno e centomila:* la pagina finale

Anna Rosa doveva essere assolta; ma io credo che in parte la sua assoluzione fu anche dovuta all'ilarità che si diffuse in tutta la sala del tribunale, allorché, chiamato a fare la mia deposizione, mi videro comparire col berretto, gli zoccoli e il camiciotto turchino dell'ospizio.

Non mi sono più guardato in uno specchio, e non mi passa neppure per il capo di voler sapere che cosa sia avvenuto della mia faccia e di tutto il mio aspetto. Quello che avevo per gli altri dovette apparir molto mutato e in un modo assai buffo, a giudicare dalla maraviglia e dalle risate con cui fui accolto. Eppure mi vollero tutti chiamare ancora Moscarda, benché il dire Moscarda avesse ormai certo per ciascuno un significato cosi diverso da quello di prima, che avrebbero potuto risparmiare a quel povero svanito là, barbuto e sorridente, con gli zoccoli e il camiciotto turchino, la pena d'obbligarlo a voltarsi ancora a quel nome, come se realmente gli appartenesse.

Nessun nome. Nessun ricordo oggi del nome di ieri; del nome d'oggi, domani. Se il nome è la cosa; se un nome è in noi il concetto d'ogni cosa posta fuori di noi; e senza nome non si ha il concetto, e la cosa resta in noi come cieca, non

distinta e non definita; ebbene, questo che portai tra gli uomini ciascuno lo inci-
da, epigrafe funeraria, sulla fronte di quella immagine con cui gli apparvi, e la
lasci in pace e non ne parli più. Non è altro che questo, epigrafe funeraria, un
nome. Conviene ai morti. A chi ha concluso. Io sono vivo e non concludo. La vita
non conclude. E non sa di nomi, la vita. Quest'albero, respiro tremulo di foglie
nuove. Sono quest'albero. Albero, nuvola; domani libro o vento: il libro che leggo, il vento che bevo. Tutto fuori, vagabondo.

L'ospizio sorge in campagna, in un luogo amenissimo. Io esco ogni mattina,
all'alba, perché ora voglio serbare lo spirito così, fresco d'alba, con tutte le cose
come appena si scoprono, che sanno ancora del crudo della notte, prima che il
sole ne secchi il respiro umido e le abbagli. Quelle nubi d'acqua là pese plumbee
ammassate sui monti lividi, che fanno parere più larga e chiara, nella grana d'ombra ancora notturna, quella verde plaga di cielo. E qua questi fili d'erba, teneri
d'acqua anch'essi, freschezza viva delle prode. E quell'asinello rimasto al sereno
tutta la notte, che ora guarda con occhi appannati e sbruffa in questo silenzio che
gli è tanto vicino e a mano a mano pare gli s'allontani cominciando, ma senza
stupore, a schiarirglisi attorno, con la luce che dilaga appena sulle campagne
deserte e attonite. E queste carraje qua, tra siepi nere e muricce screpolate, che su
lo strazio dei loro solchi ancora stanno e non vanno. E l'aria è nuova. E tutto,
attimo per attimo, è com'è, che s'avviva per apparire. Volto subito gli occhi per
non vedere più nulla fermarsi nella sua apparenza e morire. Così soltanto io posso vivere, ormai. Rinascere attimo per attimo. Impedire che il pensiero si metta in
me di nuovo a lavorare, e dentro mi rifaccia il vuoto delle vane costruzioni.

La città è lontana. Me ne giunge, a volte, nella calma del vespero, il suono
delle campane. Ma ora quelle campane le odo non più dentro di me, ma fuori, per
sé sonare, che forse ne fremono di gioia nella loro cavità ronzante, in un bel cielo
azzurro pieno di sole caldo tra lo stridìo delle rondini o nel vento nuvoloso, pe-
santi e così alte sui campanili aerei. Pensare alla morte, pregare. C'è pure chi ha
ancora questo bisogno, e se ne fanno voce le campane. Io non l'ho più questo
bisogno; perché muoio ogni attimo, io, e rinasco nuovo e senza ricordi: vivo e
intero, non più in me, ma in ogni cosa fuori.

La prima mossa contestualizzante nei confronti di questa pagina consiste
nel considerarla nel *contesto del testo intero,* dell'opera cui appartiene, il romanzo di cui fa parte. *Uno, nessuno e centomila* è l'ultimo romanzo di Luigi
Pirandello (1867-1936), pubblicato per la prima volta a puntate nel 1925-26
sulla rivista "La fiera letteraria". È la storia di Vitangelo Moscarda, un uomo
come tanti, che, un certo giorno, avendogli la moglie fatto notare l'imperfe-

zione del suo naso, si rende conto che egli è non soltanto come lui stesso si vede ma impersona tante identità quanti sono i punti di vista degli altri su di lui. Si sente, così, annullato in questa realtà molteplice e sfuggente riflessa dagli occhi altri, e così inizia la sua follia. Abbandonato dalla moglie, finisce in ospizio. La pagina che commenteremo è la pagina conclusiva di questo romanzo.

L'interpretazione della pagina in esame può avvalersi della contestualizzazione del romanzo cui appartiene nell'ambito della *principale produzione del suo autore*, o almeno considerandolo in rapporto con gli altri romanzi, di cui come abbiamo detto, questo è l'ultimo. Il romanzo che maggiormente è vicino a *Uno, nessuno, centomila* è certamente *Il fu Mattia Pascal* (1904), anch'esso narrato in prima persona e anch'esso la storia di un personaggio, morto-vivo, impegnato in una sorta di esperimento che dovrebbe permettere di ritrovare se stesso. Ma già nel primo romanzo di Pirandello, *L'esclusa* (1901), troviamo la deformazione grottesca di una storia drammatica nella decisione finale del marito geloso che, dopo aver cacciato da casa la moglie sospettata a torto di infedeltà, pentito si riconcilia con lei, la quale nel frattempo, costretta dal bisogno, lo aveva veramente tradito.

La lettura del testo può inoltre avvalersi, come abbiamo detto, del suo inserimento nel *contesto della vita dell'autore e nella sua situazione storica*. Pirandello visse nel periodo che vide prima l'affermazione e poi la crisi della filosofia positivista, ed il fallimento degli ideali risorgimentali; e in molte sue novelle e nel romanzo *I vecchi e i giovani* (1909) si avverte l'insofferenza per tale crisi di valori, per la corruzione e la decadenza dell'Italia "affarista". Di fronte all'affermarsi del socialismo e al movimento fascista, che va al potere nel 1922, Pirandello mostrò sempre sfiducia nei confronti delle soluzioni che la politica può proporre per arginare la miseria sociale. Da qui la sua indifferenza o almeno la scarsa partecipazione alla politica, anche se nel 1924, dopo il momento di crisi del governo fascista dovuta all'assassinio di Matteotti, Pirandello aderì al fascismo.

Anche importante è il *contesto letterario della formazione dell'autore*. Nato come Svevo all'inizio della seconda metà dell'Ottocento, ebbe una formazione positivistica e naturalistica, da cui, come Svevo, si andò staccando dando luogo a nuove forme di raffigurazione artistica che svilupparono in maniera originale lo sperimentalismo del primo Novecento. Per quanto riguarda il romanzo che stiamo considerando, vanno ricordati per lo meno gli autori da cui viene ripreso il tema del naso, da *Cyrano di Bergerac* di Rostand a Gogol'.

Particolarmente interessante è, come abbiamo visto, l'inserimento del testo nel *contesto della complessiva concezione poetica dell'autore*. Nel caso di Pirandello, sono importanti, sotto questo riguardo, i suoi due saggi *Arte e scienza* e *L'umorismo*, entrambi del 1908: nel primo si considera la differenza tra il punto di vista artistico e quello scientifico, tra il loro diverso modo di rivolgersi alla realtà, e, nel secondo si considera il rapporto tra comicità e umorismo, facendo consistere quest'ultimo nella percezione del contrario. Come nel teatro pirandelliano anche ne *Il fu Mattia Pascal* e in *Uno, nessuno e centomila*, l'uomo di Pirandello si manifesta e si scopre parlando: l'oggettivazione della parola è fondamentale nella raffigurazione artistica di Pirandello. Da questo punto di vista, è abbastanza esemplare, anche per la doppia versione di novella e di dramma, *L'uomo dal fiore in bocca* (1926) in cui via via, attraverso le sue stesse parole, si vanno svelando il mondo in cui il personaggio vive e il suo destino. Sotto questo aspetto, potremmo dire che la scrittura di Pirandello sviluppa e approfondisce la concezione dostoevskiana del personaggio secondo cui egli è essenzialmente parola, che reagisce dialogicamente ad altre parole, compresa quella dell'autore.

In tutti questi casi si tratta di un contesto "vicino" o "immediato". A noi invece interessa particolarmente l'intertestualità che riguarda un contesto "lontano" o "mediato", in base alla quale il testo vive nel rapporto con testi e contesti ai quali il suo autore non lo ha direttamente e volutamente collegato.

Passiamo dunque ora all'analisi linguistico-letteraria, o metalinguistica, o semiotica del testo.

Il brano da analizzare è l'ultima parte di *Uno, nessuno, centomila*. Dalla voce narrante del protagonista Vitangelo Moscarda, da cui tutta la vicenda del romanzo viene fatta raccontare, apprendiamo che Anna Rosa, un'amica della moglie, processata per aver ferito Moscarda sparandogli con una pistola, è stata assolta. Essa certamente sarebbe stata in ogni caso assolta, dice la voce narrante del protagonista, "doveva essere assolta", "ma" – e qui il lettore viene informato dell'attuale condizione di Moscarda, ormai fatto internare in manicomio – la sua assoluzione fu anche dovuta all'"ilarità" di tutti i presenti nell'aula del tribunale quando lo videro comparire: un "povero svanito", "barbuto e sorridente", con il berretto, gli zoccoli e il camiciotto turchino dell'ospizio, che tuttavia continuavano a chiamare Moscarda, "obbligandolo a voltarsi ancora a quel nome come se davvero gli appartenesse".

Torna subito, all'inizio del brano, il riferimento allo specchio, all'immagine che esso fedelmente dovrebbe restituire a chi vi si guarda, lo stesso riferimento con cui il racconto del romanzo ha avuto inizio: il protagonista si stava guardando il naso nello specchio, e la moglie gli aveva fatto notare per la prima volta che quel naso era storto. Da quel momento egli aveva capito che quell'unica immagine che fino allora si era attribuita, complice lo specchio, e con cui si indentificava, non corrispondeva a quella che gli altri avevano di lui. Si era andato così rendendo conto a poco a poco di non essere quell'"uno" che egli aveva sempre creduto di essere, ma di essere invece nient'altro ("nessuno") che le "centomila" rappresentazioni che gli altri si figuravano di lui.

Adesso, come apprendiamo da questa pagina finale del romanzo, che però non ne vuole essere la conclusione ("Non conclude" è il titolo che l'autore gli ha dato: Moscarda in quanto personaggio di romanzo postdostoevskiano deve restare "incompibile"), egli non si guarda più nello specchio e non gli interessa più che cosa sia avvenuto della sua faccia e di tutto il suo aspetto. Sa soltanto che, a giudicare dalla "meraviglia" e dalle "risate" con cui è stato accolto in tribunale, deve apparire "molto mutato e in modo assai buffo". E malgrado questo, continuano a chiamarlo Moscarda, benché ormai questo nome non sia più univoco, non abbia più né lo stesso referente di prima, né un unico referente, ma sia andato via via caricandosi di tanti significati diversi, e adesso non è che il nome di "un povero svanito". Sicché "avrebbero almeno potuto risparmiare", dice il protagonista parlando di sé alla terza persona, come di un altro, "a quel povero svanito là", "la pena di obbligarlo a voltarsi ancora a quel nome, come se realmente gli appartenesse".

Il nome "obbliga", e obbliga a rispondere. Malgrado il suo carattere puramente convenzionale, esso pretende di appartenere a una persona e di identificarla, racchiuderla, contenerla. Il nome fa parte della rappresentazione, del "mondo degli oggetti" (Malevič), dei ruoli, delle identità, fa parte dell'"ordine del discorso" (Foucault). È una finzione, ma una finzione che gioca un ruolo decisivo nella costruzione della "realtà", nella definizione, nella individuazione, nella identificazione, di cui la rappresentazione ha bisogno.

In effetti, che cos'è un nome? È ciò che osserva anche la protagonista di

Romeo e Giulietta, dramma in cui, come sappiamo, il nome ha un ruolo determinante: "What's in a name". La sua risposta è che un nome è solo un nome, tanto che possiamo anche cambiarlo. Fra esso e ciò che nomina non c'è nessun rapporto: "That which we call rose / by any other name would smell as sweet". Eppure, per quanto "etichetta" del tutto arbitraria, è proprio il nome, nell'intreccio tra amore e odio, la causa scatenante della tragedia shakespeariana: Romeo è un Montecchi, Giulietta una Capuleti. Il nome benché "arbitrario", si rivela tuttavia come prigione dei due innamorati soggiogati al potere che esso ha sull'amore e sulla morte.

Nessuno, linguisti compresi, conosce, come lo scrittore, e in generale l'artista, il peso del nome e sa mostrarlo. La scrittura letteraria, e in generale l'arte, infatti, è proprio la "sovversione non sospetta" (Jabès) contro il potere del nome. Essa cerca di uscire dall'ordine del discorso e della rappresentazione, dalla identificazione, dal "mondo degli oggetti", da quella *finzione* che lega le cose ai nomi, che tuttavia determina la *"realtà"* che siamo e a cui apparteniamo. L'arte, spostandosi dal visibile della nominazione, cerca di rendere visibile ciò che è altro da essa, l'alterità che l'identità nasconde e pretende di contenere. Quando Magritte scrive sotto quella che sembra senz'altro la rappresentazione di una pipa "Questa non è una pipa", sta cercando di ostacolare il potere della nominazione, affrancando la raffigurazione dalla sua riduzione a rappresentazione.

Il senza nome è inquietante. Mette in discussione le tre categorie fondamentali della realtà della rappresentazione: quella di soggetto, di oggetto e quella della loro identità. Il nome è rassicurante. Annulla o per lo meno riduce l'inquietudine per ciò che è altro. Lo dice il fatto stesso che una malattia nominata è più sopportabile. La realtà della rappresentazione, per ripetersi, riaffermarsi, riprodursi, ha bisogno dei nomi.

La letteratura la dice lunga sul nome come segno, che non è solo casualità, convenzione, abito (*simbolo*, nel senso di Peirce), ma anche *indice*, ha cioè con il suo oggetto un rapporto necessario di contiguità e causalità, ed anche *icona*, segno che non *denota* semplicemente, ma anche *connota*, pregiudica, veicola stereotipi, valori positivi e negativi: non solo è capace di individuare un *oggetto* ma (come mostra Julia Kristeva 1981) di stigmatizzare un *abietto*.

La parola letteraria cerca di sottrarsi al potere dei nomi (che per Kristeva è l'ordine del *simbolico* e anche del "potere maschile" che domina sul rapporto "semiotico" e "femminile" con il mondo), malgrado il loro presentarsi come "purissimi accidenti"(come il lettore ricorderà, è questa l'espressione dopo la quale ne *I promessi sposi* il Manzoni che ha trovato lo "scartafaccio" della storia milanese del Seicento decide di non trascriverla ma di *riscriverla*). La scrittura letteraria non è *trascrizione* ma *riscrittura,* che deve far slittare i nomi, ritrovare l'alterità nascosta e rimossa sotto la nominazione, sotto l'identificazione; lo scrittore è colui che, come il copista di Melville nei confronti della trascrizione, della scrittura come rappresentazione, come riproduzione dei nomi delle cose, dice "I prefer not to". Benché i nomi siano "purissimi accidenti", Renzo, alla fine de *I promessi sposi*, deve risolversi di assumere un nome finto. Sottrarsi alla nominazione può essere mezzo di salvezza: lo sapeva bene Ulisse quando torna ad Itaca invasa dai Proci e non deve farsi riconoscere, o quando dice a Polifemo di chiamarsi "Nessuno". *Il fu Mattia Pascal* è costruito anch'esso intorno alla questione dell'identità del nome: il personaggio, appresa la notizia della sua presunta morte, cambia identità, poi decide di riprendere quella vera, ma conclude alla fine, ripreso il proprio nome, di non essere altri che "il fu Mattia Pascal".

Infatti, come prosegue poi l'altro personaggio di Pirandello, Vitangelo Moscarda, nella pagina che stiamo esaminando, il nome non è che "un'epigrafe funeraria": "Conviene ai morti. A chi ha concluso. Io sono vivo e non concludo". Il nostro personaggio, come fa anche la scrittura letteraria, si ribella al nome, non vuol essere anche lui un "fu" identificandosi con il suo nome: "il fu Vitangelo Moscarda". Perciò: "nessun nome".

È soprattutto nel contesto specifico della scrittura letteraria che va collocata questa pagina finale di *Uno, nessuno e centomila* per comprenderne il senso. Esso va considerato da un punto di vista semiotico che ne evidenzi i segni del suo fare parte dello "spazio letterario", cioè di una visione artistica che si affranca dall'identità della rappresentazione muovendosi verso l'alterità della raffigurazione. C'è un rapporto di somiglianza, non di superficiale *analogia*, bensì di profonda *omologia* (Rossi-Landi), una somiglianza cioè di ordine genetico e strutturale, tra il punto di vista raggiunto dal personaggio alla fine della sua vana ricerca dell'identità, secondo le prescrizioni dell'ordine della rappresentazione, e il punto di vista della letteratura.

Nelle parole finali (ma non coclusive) dell'eroe è come se la scrittura letteraria mettesse in scena se stessa, parlasse della sua consapevolezza della morte che il linguaggio dà alle cose quando le dice, e del proprio sforzo di affrancamento dalla nominazione: "Nessun nome. Nessun ricordo oggi del nome di ieri; del nome d'oggi, domani". La vita si sottrae alla nominazione perché la vita "non conclude" (questa espressione è anche il titolo che l'autore dà a questa pagina), "E non sa di nomi, la vita". Non *sa* di nomi, nel doppio senso di "sapere", cioè di aver esperienza e conoscenza, e di aver sapore, di "dare la sensazione di qualcosa". Neppure la scrittura letteraria sa di nomi, di nominazione, di trascrizione, di rappresentazione; meglio in questo caso si dovrebbe dire: "non ne vuol sapere"; proprio perché conosce bene come funzionano il nome e l'identità (tutto il romanzo di cui ci stiamo occupando ne è la testimonianza), vuole nel raffigurali ritrarsene, per recuperare il rapporto con la vita, per ritrovare nella sua raffigurazione l'effettivo senso del collegamento tra arte e vita.

Il carattere letterario, poetico, di certe considerazioni ed espressioni del personaggio (non solo sul piano semantico, ma anche su quello sintattico, fonetico e ritmico) in questa pagina dipende dal fatto che il punto di vista della parola letteraria e il punto di vista dell'eroe tendono adesso a coincidere. Altrimenti non si spiegherebbero e risulterebbero inappropriate e forzate le parole di quest'ultimo. Invece risultano appropriatissime, se le leggiamo nel modo che stiamo proponendo. Esse sono proprio le parole del personaggio che è pervenuto, con la sua esperienza, alla stessa capacità percettiva della scrittura letteraria. Si ha così, in questa pagina, una sorta di "discorso diretto sostituito", in cui il personaggio esprime certamente il suo punto vista, ma questo punto di vista richiede, adesso, di essere espresso nella forma della scrittura letteraria e in una forma meno prosastica possibile, in una forma lirica: "L'ospizio sorge in campagna in un luogo amenissimo [... ecc.]. Io esco ogni mattina [... ecc.]. Quelle nubi d'acqua [... ecc.]. E qua questi fili d'erba [... ecc.]. E quell'asinello [... ecc.] e l'aria è nuova".

Il testo che racconta la strana, anormale, paradossale, grottesca vicenda di Vitangelo Moscarda, è diventato adesso pretesto della parola letteraria per parlare di sé. La follia si sposta da Moscarda alla vita vissuta secondo il canone dell'identità, della nominazione, che uccide le cose, nell'illusione di possederle: la follia è, in effetti, la "follia del giorno" (Blanchot), sta nell'ostinazione a voler definire, chiarire, determinare, identificare, sottoporre tutto alla luce dei nomi. Moscarda esce all'alba proprio per sfuggire alla luce del pieno giorno che dà alle cose contorni precisi e definiti, bloccandole entro confini determinati, distinguendole e separandole le une dalle altre. Vuole serbare "lo spirito fresco d'alba", "rifarsi un'ottica", come diceva Cézanne, rispetto al modo quotidiano, ordinario, scontato di vedere le cose come oggetti già dati, gia saputi, già visti, ma guardare ogni cosa, potremmo dire con le parole della pagina di Pirandello, "che s'avviva per apparire", come se si formasse per la prima volta sotto i nostri occhi.

La visione vuol essere "fresca d'alba" in modo da sapersi accostare alle cose "come appena si scoprono", non come sono alla luce del giorno, ma "che sanno [il sapere dei sensi, piuttosto che quello dell'intelletto e dei concetti] ancora del crudo della notte" (dell'"altra notte", rispetto a quella funzionale alla "follia del giorno"), prima che il sole le "secchi", le sclerotizzi, le ossifichi, le blocchi, e le "abbagli", accecandole e accecandoci, illudendoci e ingannandoci (quando al processo, al personaggio di *Lo straniero* di Camus si chiede di spiegare perché ha ucciso l'arabo, egli sa dire soltanto che è stato a causa della luce del sole). Come quella "verde plaga d'ombra ancora notturna" fa apparire "più larga e chiara" quella "verde plaga di cielo", così è dall'ombra, dalla notte (l'altra notte della visione letteraria) che è possibile comprendere le cose (potremmo ricordare a questo punto la poesia di Borges "Elogio dell'ombra"; o i versi de "Il Cimitero marino" di Valéry, dove si dice che per rendere la luce bisogna che ci sia una cupa metà di ombra; o le considerazioni di Lévinas sul rapporto tra concetto e immagine letteraria nel suo saggio significativamente intitolato "La realtà e la sua ombra").

Questi rapporti di somiglianza che il testo presenta con altri di scrittori molti diversi e lontani per cronologia e concezione poetica e anche con coloro che, come Blanchot, Bachtin, Barthes, Kristeva, scrivono della letteratura dal punto di vista della letteratura stessa, dipendono dall'intertestualità letteraria in cui ogni testo, in quanto letterario, vive. È questa intertestualità che fa di un testo un testo letterario, un testo di ri-scrittura, che somiglia agli altri proprio perché non li imita, ma se ne distanzia, recuperando in modo rinnovato la capacità di raffigurazione propria del linguaggio letterario.

Il discorso sul nome, senza il quale le cose resterebbero "cieche", "non distinte" e "non definite", e che al tempo stesso non è altro che "epigrafe funeraria", presenta rapporti profondi di somiglianza con le considerazioni di Blanchot ("La letteratura e il diritto alla morte", *L'infinito intrattenimento, Lo spazio letterario* e *Da Kafka a Kafka*) sulla morte che il linguaggio nominando le cose produce. La nominazione è un atto *violento*, negazione della vita, "assassinio differito" (Blanchot). L'inganno del linguaggio, nel duplice senso che inganna e si inganna, consiste nell'illuminare, nel distinguere, nel definire le cose, ma in questo modo non fa altro, proprio tenendole, fermandole, afferrandole nel nome e nel concetto, che stringere la loro assenza nell'illusione della presenza. Il linguaggio ottiene la presenza della cosa, negandola, sottraendola alla propria vita, alla propria presenza. Il nome della cosa ci dà il significato della cosa, la sua identità, negandone l'esistenza peculiare, singolare, negandone l'alterità. Il significato è ottenuto al prezzo di un nulla di esistenza e di presenza. Nella nominazione l'assenza viene fatta passare per presenza. E si avverte maggiormente l'assenza, il vuoto, la morte che accompagnano la nominazione, quanto più il senso della parola pretende di darsi come stabile, univoco, definitivo, pretende di esaurire l'esistenza di ciò di cui si parla in quella della parola. Ciò tuttavia conferisce al linguaggio un aspetto rassicurante, che però, proprio come *Uno, nessuno e centomila* dimostra, è solo illusorio e si ritorce facilmente in follia.

Appunto perché la letteratura sa della morte che il linguaggio dà alle cose quando le nomina, può restituire loro la vita con una parola che non pretende di essere univoca, letterale, definitoria, di dare risposte, ma che invece si presenta come ambigua, metaforica, polivalente, allusiva, contraddittoria (si ricordi il rapporto tra contraddizione ed umorismo in Pirandello), una parola che è fondamentalmente domanda. La parola letteraria non rappresenta, ma raffigura, in quanto è plurivocità, spostamento, differimento, deriva, erranza, *"differance"* (Derrida), rinvio, equivoco, svuotamento del significato, parola "vagabonda" (è un aggettivo del testo di Pirandello che stiamo esaminando) perché apre le pretese della *significazione* all'incompibilità della *significanza* (Barthes), rende il discorso *dis-cursus*, discorrere diviso, doppio, ambivalente come Giano dalla doppia faccia (Bachtin), "infinito intrattenimento" (Blanchot).

Al rapporto illusoriamente rassicurante tra soggetto e oggetto, come entità distinte e separate, attiva l'una e passiva l'altra, una "interna" e l'altra "esterna", entrambe stabili e date una volta per tutte, si sostituisce, nella scrittura letteraria, ma anche nelle parole di Vitangelo Moscarda, che ora si manifesta in tutta la sua incompibilità di personaggio letterario, un rapporto di coinvolgimento, partecipazione, complicità, un intrico indissolubile: "Quest'albero, respiro tremulo di foglie nuove. Sono quest'albero. Albero, nuvola; domani libro o vento: il libro che leggo, il vento che bevo. Tutto fuori, vagabondo". Qui non c'è la sinestesia di un soggetto, ma non c'è neppure più il soggetto, ed è anche scomparso il verbo "essere", proprio del giudizio predicativo.

È particolarmente interessante la dialettica che si viene a stabilire, in questa pagina, tra morte e vita; anche questa propria del linguaggio letterario e dunque ritrovabile anche in Blanchot. Per Blanchot, la letteratura, proprio perché sa della morte che la parola sana, normale, coerente, chiara, colta dà alle cose quando le dice, divenuta, invece, parola malata, strana, anormale, contraddittoria, confusa, "cruda" restituisce loro la vita. Per Bachtin lo scrittore guarda alla vita e l'ama lasciandola essere vita per il suo rapporto di exotopia, perché la guarda come "moriturus". Kafka scriveva nel diario: "quando scrivo, mi sento un po' morto".

"[...] con tutte le cose come appena si scoprono, che sanno ancora del crudo della notte": in contrasto col cotto della cultura di appartenenza, del mondo addomesticato, delle cose prodotte e riprodotte dal lavoro del giorno, in contrasto col "precotto" che la lingua ci offre precostituendo i significati delle nostre esperienze, ecco ora un rapporto in cui vengono ritrovate le cose "che sanno ancora del crudo della notte".

"Io sono vivo e non concludo". Sono incompibile. Si potrebbe, a questo proposito, ricordare nuovamente (v. sopra) il personaggio di *Povera gente* di Dostoevskij (Devuškin), che ha letto il *Cappotto* gogoliano e protesta contro la riduzione del protagonista a personaggio soppesato, misurato e definito una volta per tutte, precostituito e già morto prima di morire, concluso.

La morte nella visione finale del personaggio Moscarda, come pure nella visione della letteratura, non è esorcizzata, non è allontanata, da una vita che, afferrando, dominando, esercitando il potere sulle cose, non vuol essere nient'altro che vita, e che finisce, proprio per questo, con l'essere morte, perché ottiene il dominio sulle cose, negando la vita. Non c'è perciò nessuna contraddizione tra l'affermazione di Moscarda "Io sono vivo" e l'altra, verso la fine della pagina, "Muoio ogni attimo, io". Il non voler vedere la morte che il potere del linguaggio implica, l'estromissione della morte dalla propria esperienza, comporta una vita che non è vita, proprio perché essa finisce con l'essere inerte, ripetitiva, già morta prima di morire. Se invece il protagonista di *Uno nessuno e centomila* può dire "Io sono vivo" è proprio perché è disposto a morire in ogni istante, ad accettare l'assenza, la perdita, l'inafferrabilità delle cose e delle esperienze.

Egli non lascia le cose congelare, indurirsi, essiccarsi sotto i suoi occhi: visione che può essere solo illusoriamente rassicurante, che dà soltanto un ingannevole dominio sulle cose, sugli altri e su di sé, e che solo apparentemente è affermazione di vita. "Volto subito gli occhi per non vedere più nulla fermarsi nella sua apparenza e morire. Così soltanto io posso vivere, ormai". Egli dunque può dire "Io sono vivo" proprio perché accetta di morire ogni attimo e dunque di rinascere in un rapporto sempre rinnovato con se stesso e con il mondo: "rinasco nuovo e senza ricordi", senza memoria, senza identità, senza un'immagine di sé a cui essere coerenti, senza un'illusoria "interiorità" a cui conformare e uniformare le cose e i vissuti; "vivo e intero": un corpo vissuto, "un corpo senza organi"(Deleuze e Guattari); "non più in me, ma in ogni cosa fuori": un corpo grottesco, come quello descritto da Bachtin (1969) con riferimento alla visione carnevalesca del mondo).

C) Da Elsa Morante, *La Storia*: "Il mondo di Useppe".

Non s'era mai vista una creatura più allegra di lui. Tutto ciò che vedeva intorno lo interessava e lo animava gioiosamente. Mirava esilarato i fili della pioggia fuori della finestra, come fossero coriandoli e stelle filanti multicolori. E se, come accade, la luce solare, arrivando in diretta al soffitto, vi portava, riflesso in ombre, il movimento mattiniero della strada, lui ci si appassionava senza stancarsene: come assistesse a uno spettacolo straordinario di giocolieri cinesi che si dava apposta per lui. Si sarebbe detto, invero, alle sue risa, al continuo illuminarsi della sua faccetta, che lui non vedeva le cose ristrette dentro i loro aspetti usuali; ma quali immagini multiple di altre cose varianti all'infinito. Altrimenti non si spiegava come mai la scena miserabile, monotona, che la casa gli offriva ogni giorno, potesse rendergli un divertimento cosi cangiante, e inesauribile.

Il colore d'uno straccio, d'una cartaccia, suscitando innanzi a lui, per risonanza, i prismi e le scale delle luci, bastava a rapirlo in un riso di stupore. Una delle prime parole che imparò fu *ttelle* (stelle). Però chiamava *ttelle* anche le lampadine di casa, i derelitti fiori che Ida portava da scuola, i mazzi di cipolle appesi, perfino la maniglie delle porte, e in seguito anche le rondini. Poi quando imparò la parola *dóndini* (rondini) chiama dóndini pure i suoi calzerottini stesi a asciugare su uno spago. E a riconoscere una nuova ttella (che magari era una mosca sulla parete) o una nuova dondine, partiva ogni volta in una gloria di risatine, piene di contentezza e di accoglienza, come se incontrasse una persona della famiglia.

Le forme stesse che provocano, generalmente, avversione o ripugnanza, in lui suscitavano solo attenzione e una trasparente meraviglia, al pari delle altre. Nelle sterminate esplorazioni che faceva, camminando a quattro zampe, intorno agli Urali, e alle Amazzonie, e agli Arcipelaghi Australiani, che erano per lui i mobili di casa, a volte non si sapeva più dove fosse. E lo si trovava sotto l'acquaio in cucina, che assisteva estasiato a una ronda di scarafaggi, come fossero cavallucci in una prateria. Arrivò perfino a riconoscere una ttella in uno sputo.

Ma nessuna cosa aveva potere di rallegrarlo quanto la presenza di Nino. Pareva che, nella sua opinione, Nino accentrasse in sé la festa totale del mondo, che dovunque altrove si contemplava sparsa e divisa: rappresentando lui da solo, ai suoi occhi, tutte insieme le miriadi dei colori, e il bengala dei fuochi, e ogni specie di animali fantastici e simpatici, e le giostre dei giocolieri. Misteriosamente, avvertiva il suo arrivo fino dal punto che lui cominciava appena la salita della scala! e súbito si affrettava più che poteva, coi suoi mezzi, verso l'ingresso, ripetendo: ino ino, in un tripudio quasi drammatico di tutte le sua membra. Certe volte, perfino, quando Nino rientrava di notte tardi, lui, dormendo, al rumore della chiave si rimuoveva appena e in un sorrisetto fiducioso accennava con poca voce: ino.

La primavera dell'anno 1942 avanzava, intanto, verso l'estate. Al posto delle molte lane, che lo facevano sembrare un fagottello cencioso, adesso Giuseppe venne rivestito da Ida di certi antichissimi calzoncini e camiciole gia appartenuti al fratello, e malamente adattati per lui. I calzoncini, addosso a lui, facevano da pantaloni lunghi. Le camiciole, ristrette alla meglio sui lati ma non accorciate, gli arrivavano fin quasi alle caviglie. E ai piedi, per la loro piccolezza, bastavano ancora delle babbucce da neonato. Cosi vestito, somigliava a un indiano.

Della primavera, lui conosceva soltanto le dondini che s'incrociavano a migliaia intorno alle finestre dal mattino alla sera, le stelle moltiplicate e più lucenti, qualche lontana macchia di geranio, e le voci umane che echeggiavano nel cortile, libere e sonore, per le finestre aperte. Il suo vocabolario si arricchiva ogni giorno. La luce, e il cielo, e anche le finestre, si chiamavano *tole* (sole). Il mondo esterno, dall'uscio d'ingresso in fuori, per essergli sempre interdetto e vietato dalla madre, si chiamava *no*. La notte, ma poi anche i mobili (giacché lui ci passava sotto) si chiamavano *ubo* (buio). Tutte le voci, e i rumori, *opi* (voci). La pioggia, *ioia*, e cosi l'acqua, ecc. ecc.

Con la bella stagione, si può immaginare che Nino sempre più spesso marinasse la scuola, anche se le sue visite a Giuseppe in compagnia degli amici oramai non erano più che un ricordo lontano. Ma una mattina di sereno meraviglioso, apparve inaspettato a casa, vispo e fischiettante in compagnia del solo Blitz; e come Giuseppe, spuntando da sotto qualche *ubo*, al solito gli muoveva incontro, lui gli annuncio, senz'altro:

"Ahó, maschio, annàmo! Oggi si va a spasso!".

Il *contesto dell'opera cui appartiene* la pagina che vogliamo analizzare è il romanzo *La Storia*, del 1974, che la sua autrice, Elsa Morante (1912-1985), considerava un' "Iliade dei giorni nostri", l'odissea della seconda guerra mondiale vissuta nell'umile microcosmo di una famiglia romana. Romanzo "popolare", rivolto a un pubblico quanto più ampio possibile, scritto con il linguaggio e con lo stile della cronaca, esso narra la storia di una povera famiglia nel periodo della guerra e del dopoguerra.

Il libro inizia con la scarna narrazione degli avvenimenti storici che vanno dall'inizio del secolo scorso fino al 1941; racconta la vicenda di Ida Ramundo, vedova con un figlio, Nino, che a Roma, violentata all'inizio di quell'anno da un soldato tedesco, dà alla luce un bambino, Giuseppe detto Useppe; e si conclude, dopo l'esposizione dei fatti storici dal 1947, anno della morte di Ida e Useppe, al 1967, con la frase "e la Storia continua". Alla "grande Storia" degli avvenimenti è collegata, manzonianamente, la "piccola storia", narrata realisticamente, degli umili, vittime innocenti di una violenza senza senso.

Nella pagina del testo in esame la scrittrice narra l'ingenuità, il candore e la fantasia con cui il piccolo Useppe vede le cose, indicando nella visione infantile la possibilità del recupero di un rapporto rinnovato e sereno con il mondo. Ma ciò che differenzia questo romanzo dagli altri è soprattutto il linguaggio che narra sotto forma di cronaca, la voce narrante completamente neutra, ben diversa da quella partecipe e ricca di risonanze di *Menzogna e sortilegio* o de *L'isola di Arturo*.

Uno dei contesti de *La storia* è quello della *produzione della sua autrice*, Elsa Morante, per lo meno quella delle altre opere narrative, *Menzogna e sortilegio* (1948), *L'isola di Arturo* (1957); *Lo scialle andaluso* (1963), *Aracoeli* (1982). Da questo punto di vista, l'analisi può mostrarne le differenze – soprattutto dovute alla ripresa, ne *La Storia,* del filone del neorealismo – e le somiglianze: per esempio, per quanto riguarda proprio la nostra pagina, la somiglianza con le descrizioni di infantile purezza, contrastata dall'urto con la vita brutale del mondo, ritrovabili nei precedenti romanzi, e soprattutto con la storia di un'infanzia e di un'adolescenza felice, su uno sfondo di cieli e di mari, del protagonista de *L'isola di Arturo*, che vive quasi segregato nell'isola di Procida, in un mondo incantato, con il padre che adora, e dal quale poi, divenuto adulto, sarà disilluso.

Se si considera il *contesto della vita dell'autrice e delle caratteristiche storico-culturali e geografiche del luogo della sua produzione*, i possibili riferimenti riguardano la vita a Roma della scrittrice, figlia di madre ebrea, il suo rapporto con Alberto Moravia, le difficoltà e i pericoli della sua vita nel periodo del fascismo, la sua estraneità alle correnti dominanti e alla moda del romanzo sperimentale, lo slittamento della sua scrittura dalla realtà al sogno e poi il recupero con *La Storia* della narrativa tradizionale neorealistica e la ripresa del romanzo storico popolare.

Soprattutto importante è il *contesto letterario della formazione della scrittrice* e particolarmente il rapporto tra questo romanzo e il neoralismo, e il rapporto tra questo "romanzo storico" e "popolare" e il romanzo tradizionale dello stesso tipo. *La Storia* riprende anche, volutamente, il linguaggio delle cronache comunali e della storiografia annalistica. Inoltre gli autori a cui direttamente Morante si richiama sono Omero, Cervantes, Stendhal, Melville, Čechov, Verga. I rapporti con questi scrittori e con i testi dei generi letterari cui il testo si richiama e che riprende, non esauriscono tuttavia, come abbiamo detto sopra, la sua intertestualità, perché essa non riguarda unicamente il rapporto del testo con le fonti.

L'intertestualità letteraria in cui vivono i personaggi de *La Storia* li mette in rapporto non solo con quelli del romanzo popolare quale si è sviluppato nel Settecento e nell'Ottocento, ma anche con quelli del genere epico però abbassato – l'epos storico-sociale, l'"epopea popolare" di "povera gente", che lo rende accostabile a *I miserabili* di Victor Hugo. Inoltre questo romanzo, come fece notare Italo Calvino in un articolo del 1974, è il romanzo popolare quale può essere nell'epoca del best seller, del libro di successo di una stagione, e risente della sfida del suo essere rivolto a un ampio strato di lettori e, contemporaneamente, del dover evitare la "ruffianeria" (Calvino) del best seller.

La lettura del testo può inoltre giovarsi della sua collocazione nel *contesto della complessiva concezione della scrittura di Morante, nella sua "poetica"*. Su questo approccio, come abbiamo già detto, conviene soffermarci di più rispetto agli altri, perché esso introduce all'esame del testo nel contesto letterario, nell'intertestualità dello spazio letterario, benché, in questo approccio, tale contesto sia limitato a quello della scrittura letteraria del suo autore. È inoltre importante, per la nostra analisi semiotica, il fatto che, considerando il testo nella "poetica" di Morante, passiamo a un tipo di analisi il cui interesse non è tanto di ordine tematico o stilistico (come avviene nelle contestualizzazioni sopra accennate) quanto soprattutto lo *sguardo* specifico che il punto di vista della letteratura, secondo la posizione assunta dall'autore, consente nei confronti della realtà.

È ricorrente nei romanzi di Elsa Morante la storia di un'esperienza che si perde, di una finzione che urta e si frantuma contro la realtà. Da una parte lo stupore favoloso già presente ne *L'isola di Arturo*, e che si ritrova nella visione infantile e ingenua di Useppe; dall'altra la delusione, la paura, la grettezza e la meschinità del reale, l'"esperienza piccola" del mondo, presente sia nella vita degli umili sia nella "grande Storia" la quale miete vittime e decide il tragico destino degli individui. La narrazione si scinde fra quella che riguarda la realtà, la Storia, lo svolgimento inesorabilmente unilineare degli eventi, e quella che si disperde in numerose divagazioni, in sogni, in favole, in incubi. Così come la Lingua per Roland Barthes parla al posto degli individui, la Storia agisce per loro, usa, consuma e getta via le loro vite. E tuttavia ognuno ha la sua vita unica e irripetibile, la sua storia: ecco dunque una molteplicità di *divagazioni* dal percorso narrativo principale, che distinguono il discorso storiografico dal discorso letterario, dal romanzo storico. Tutte queste divagazioni concorrono a un'altra unità, diversa dalla Storia, cioè quella a cui il romanzo deve tendere dando un'immagine complessiva dell'universo reale dell'uomo, della sua realtà.

Malgrado la unilinearità e inesorabilità della Storia, le divagazioni sono diverse e molteplici, in un rapporto di alterità rispetto ad essa e tra loro. Sicché malgrado il monolinguismo della voce narrante che, ne *La Storia*, vuole avere il tono neutro delle cronache e degli annali, il mondo di Elsa Morante presenta una pluralità di voci diversificate, di vite eterogenee, il cui senso, o non senso, non coincide con quello della Storia, né si annulla in essa, ma costituisce una "rottura della Totalità" (Lévinas) dovuta alla irriducibile alterità dei singoli. Anche se in maniera diversa dalla polifonia di Dostoevskij, evidenziata da Bachtin, anche il romanzo di Elsa Morante risulta polifonico, fatto di visioni, sogni, paure, incubi, illusioni, che non si sovrappongono e non si lasciano unificare nel coro della Storia.

Passiamo adesso all'esame della pagina in cui viene descritto il mondo di Useppe considerandola nel *contesto della scrittura letteraria*, secondo la nostra analisi che abbiamo chiamato linguistico-letteraria, o metalinguistica, o semiotica.

La descrizione del mondo del bambino, di Useppe, è la descrizione di un punto di vista particolare e diverso, e anche fuori posto rispetto alla miseria del contesto in cui egli vive, come fuori posto sembra essere la sua allegria: "Non si era mai vista creatura più allegra di lui". Si tratta di una visione del mondo non conforme alla realtà, che non aderisce ad essa e non è con essa coerente. La parola del romanzo non può rappresentare questo punto di vista altro, se non come parola, come un rinominare le cose. Così facendo, tale parola le trasfigura, le affranca dal mondo precostituito degli oggetti, ne trasforma il senso e il valore, le riscatta dal loro destino inscritto nella Storia, ne cambia i segni che fanno riferimento alla miseria, allo squallore, alla guerra. Il bambino Useppe è ancora capace del "gioco del fantasticare" (Peirce), quale prerogativa propriamente umana, che gli adulti, a causa delle loro tristi vicende, sembrano aver dimenticato.

La capacità di innovare, di inventare, di modellare più mondi, propria della scrittura letteraria, trova, nel bambino, in un universo appiattito, omologato e rimpicciolito, schiacciato sotto il peso della Storia, la possibilità di dire di questo aspetto specifico dell'essere umano e di dire di sé. Il testo, cioè, trova nella visione di Useppe il pretesto per parlare della propria vocazione a "sovvertire" l'ordine del discorso, la gerarchia dei valori, il senso pre-scritto, per dire della capacità innovativa, rigeneratrice, del linguaggio, di cui la scrittura letteraria e l'arte in generale sono la più eclatante espressione.

La scrittura letteraria, in questa pagina, è come se mettesse in scena se stessa, la sua capacità di superare la visione miope, ristretta, angusta della realtà, di uscire dall'"esperienza piccola" del quotidiano e di ritrovare il senso di un'"esperienza grande" (Bachtin), che rimette l'uomo in relazione con l'intero mondo e di fronte a tutta la terra e al cielo. Il punto di vista dimenticato del "fanciullino", per usare una categoria del Pascoli, consente alla scrittura di dire, in questa pagina, delle proprie capacità espressive, di un riconquistato gioioso rapporto col mondo.

Gli aggettivi, gli avverbi e i sostantivi impiegati parlano di questa visione festosa, allegra, simile a quella descritta da Bachtin a proposito della "festa popolare" e della "visione carnevalesca". Non è un caso che nel testo si faccia riferimento a "coriandoli" e "stelle filanti multicolori" che fanno parte appunto della festa del carnevale. Le parole ricorrenti esprimono un fiducioso rapporto tra il corpo, il mondo e gli altri: "allegro", "giosamente", "divertimento cangiante e inesauribile", "contentezza", "accoglienza" "la festa totale del mondo", "fiducioso". Ricorrono anche termini che indicano ciò che Bachtin chiama "riso ridente" per distinguerlo da "riso ridotto", cioè dall'ironia, che nella letteratura compare quando il rapporto fiducioso e spensierato tra corpo e mondo è spezzato, quando subentra la separazione tra soggetto e oggetto, tra l'io e gli altri, tra l'uomo e il resto del mondo, tra identità e alterità: "risa", "una gloria di risatine piene di contentezza e accoglienza", "sorrisetto fiducioso".

È significativo l' "uso del come se", mediante il quale la visione del bambino e nello stesso tempo la visione della stessa scrittura letteraria vengono descritte: il "come se" è proprio della somiglianza attraverso cui cose considerate tra loro distanti, diverse e separate si ritrovano in rapporto; precisamente esso è proprio della metafora, di cui la parola letteraria si serve per rinnovare la visione che fissa, immobilizza le cose, le separa in classi concettuali circoscritte e chiuse. Al rapporto di *necessità*, proprio dei segni *indicali* (rapporto di contiguità e di causalità) e al rapporto di *casualità* e per *abitudine* proprio dei segni *convenzionali*, subentra il rapporto per *somiglianza*, per reciproca partecipazione, per simpatia, o, come dice Peirce, per "reciproca attrazione agapastica", proprio dei segni *iconici*. La raffigurazione letteraria come ogni raffigurazione artistica è fatta di segni iconici che permettono di vedere al di là del visibile, al di là delle convenzioni e delle necessità quotidiane.

Questo spostamento, questo straniamento (come dicevano i formalisti russi) allarga e rinnova le proprie capacità percettive. È ciò che Leopardi chiama "visione doppia", cioè la possibilità che il vedere, o l'udire, una cosa presente ne richiami un'altra assente. Questo percepire doppio è la condizione della visione poetica; ma è essenziale anche nella vita vissuta: "triste la vita", dice Leopardi nello *Zibaldone*, di chi non ha il dono della percezione doppia, di chi vede o sente una cosa e non vede e non sente se non quell'unica cosa! Questa forma di rapportarsi al mondo è basata sul rapporto di somiglianza, sul segno iconico, sul linguaggio figurato, sull'impiego di "immagini multiple", sulla metafora. Sul rapporto metaforico Vico basava la sua concezione della "logica poetica" che egli considerava l'originario modo di rapportarsi alle cose da parte dell'uomo.

Ciò rende possibile uscire dalla ripetizione della rappresentazione e porsi in rapporto alla realtà in termini di raffigurazione, cosa essenziale nell'opera artistica. È ciò che permette al piccolo Useppe, ma anche allo scrittore e, in generale, all'artista, di non vedere "le cose ristrette dentro i loro aspetti usuali; ma quali immagini multiple di altre cose varianti all'infinito", secondo un *differire* continuo e secondo un duplice senso: cioè un differire che non è solo "essere differente", ma anche "rinvio ad altro" all'"infinito", secondo quel processo segnico che Peirce chiama "semiosi infinita" e che rende possibile "il gioco del fantasticare".

È questo che spiega, al tempo stesso, la genesi e la visione del testo letterario ed il modo di rapportarsi del piccolo Useppe al suo mondo: "altrimenti non si spiegava come mai la scena miserabile, monotona, che la casa gli offriva ogni giorno, potesse rendergli un divertimento così cangiante, e inesauribile". Ne consegue una sempre nuova "curiosità", un rinnovato rapporto di "stupore" nei confronti del mondo, di "attenzione" e "meraviglia".

La parola narrante, nel testo che stiamo esaminando, non descrive soltanto il modo di vedere le cose del personaggio e le parole che inventa, ma adotta queste parole e le usa direttamente, secondo un rapporto di accostamento, di simpatia, di partecipazione ad esse. È indicativo il fatto che la parola di Useppe sia polisemica: in essa si ritrova la polivalenza, la plurivocità delle "parole primordiali" di cui parla Freud in un saggio dedicato ai termini che conservano un'originaria capacità di significare cose diverse e anche contrarie. La "divisione del lavoro", la "specializzazione" delle parole non è ancora avvenuta nelle cosiddette "parole primordiali". Le parole di Useppe hanno l'ambivalenza originaria propria del linguaggio, di cui resta, come mostra Bachtin, qualche residuo nel "linguaggio volgare", dove l'ingiuria e l'elogio non sono nettamente separati, e la stessa espressione può essere usata tanto per elogiare massimamente quanto per offendere nel modo più aspro. "Ttelle" nel linguaggio di Useppe non sono solo le stelle, ma, per traslazione, sono anche le lampadine di casa, i derelitti fiori, i mazzi di cipolle, le maniglie delle porte e anche le rondini. E quando Useppe ha ormai una parola per indicare direttamente le rondini, chiama "dòndini" anche i calzini appesi ad asciugare. La possibilità di estendere le capacità semantiche delle parole le rende parte di un gioco divertente, mai interrotto, e ogni estensione semantica della parola "ttella" o della parola "dòndine" viene accolta dal piccolo Useppe "con contentezza come se incontrasse una persona di famiglia".

Uscire dal "mondo degli oggetti", con i loro nomi e i loro valori, uscire dall'"ordine del discorso", come fa la ricerca artistica e la costruzione letteraria, non è solo un fatto che riguarda il rapporto soggetto-oggetto, ma anche quello soggetto-abietto: come mostra Julia Kristeva nel saggio sull'abiezione, il soggetto non si costituisce soltanto in rapporto a ciò che è suo *oggetto*, ma anche in rapporto a ciò che è il suo *abietto*. Il mondo degli oggetti è anche un mondo di stereotipi, gerarchizzato secondo valori positivi e negativi. Attraverso lo sguardo di Useppe, la parola narrante dice che il rinnovamento del rapporto con il mondo non riguarda soltanto ampliamenti semantici, spostamenti metaforici, percezioni doppie, immagini multiple: significa anche liberarsi dalle forme stereotipate, pur sempre stabilite dall'ordine del discorso, di abiezione, di avversione e di ripugnanza. "Le forme stesse che provocano, generalmente, avversione o ripugnanza, in lui suscitavano solo attenzione e una trasparente meraviglia, al pari delle altre. [...] Assisteva estasiato a una ronda di scarafaggi.[...] Arrivò perfino a riconoscere una *ttella* in uno sputo".

Particolarmente interessante è la descrizione del rapporto con i colori. Basta uno straccio, o una cartaccia, perché il suo colore regali a questo bambino dal "sentire doppio" un riso di stupore. Ed anche in questo caso, ai suoi occhi, un colore non risplende soltanto per sé, né si manifesta soltanto in tutta la propria lucentezza, ma rinvia. Ed è proprio questo rinvio, questo differimento, che apre l'orizzonte della visione ad altri colori, "per risonanza", stabilendo rapporti fra quel colore e tutta una gamma di colori diversi, "suscitando innanzi i prismi e le scale delle luci".

Ma il colore non è solo un fatto fisico, non è limitato alle cose, non riguarda soltanto un senso, e neppure è limitato a una percezione sinestetica. Esso diventa tratto affettivo, espressione festosa della gioia provata nel rapporto con le persone: agli occhi di Useppe, Nino, la cui presenza lo rallegra come nessun'altra cosa, Nino che accentra in sé "la festa del mondo", rappresenta "lui da solo tutte insieme le miriadi di colori, e il bengala dei fuochi [...]".

E con Ino che introduce Useppe nel mondo esterno si conclude il brano che stiamo commentando. Poiché gli era vietato dalla madre, per Useppe quel mondo si chiamava "no". Ed ecco che ora, uscito di casa, anche questa parola che vieta, nega ed esprime riprovazione si trasforma nel suo contrario, e diviene espressione di gioia: diventa trasgressiva, capace di "infrazione", come la scrittura letteraria sa rendere le parole, in quanto capace di "sovversione non sospetta" (Jabès): Giuseppe "mormorava con una sorta di cantilena esultante: 'No...No...No'".

CONSIDERAZIONI CONCLUSIVE

Il tipo di lettura che abbiamo condotto delle tre pagine esaminate permette di evidenziare la specificità del loro carattere letterario, facendolo consistere nella raffigurazione ottenuta dal distanziamento dalla realtà così com'è, come ci impone di essere, di vedere e di dire le cose. L'analisi mette in evidenza i segni del carattere letterario mostrando come il rapporto di somiglianza del testo con il discorso letterario consista nella sua capacità di staccarsi dalla rappresentazione, dalla riproduzione dell'ordine del discorso, non solo dal discorso ordinario dei generi primari, ma anche da quello dei generi secondari, letterari, in questo caso del romanzo, una volta che tale discorso sia divenuto anch'esso convenzione, abitudine, ripetizione di luoghi comuni. La similarità che il testo presenta con il discorso letterario consiste proprio nella sua capacità di rinnovarlo e ricrearlo, nella sua capacità di exotopia, di incompibilità e di raffigurazione.

Riferimenti bibliografici

Alighieri, Dante
1980 *La divina commedia*, a cura di C. Salinari, S. Romagnoli, A. Lanza, Editori Riuniti, Roma.

Anderson, Myrdene; Merrell, Floyd
1991 (a cura di) *On Semiotic Modeling*, Mouton de Gruyter, Berlin-New York.

Arcaini, Enrico
1978 *L'educazione linguistica come strumento e come fine. Proposte di analisi per la formazione linguistica*, Feltrinelli-Bocca, Milano.

Arent, Hannah
1993 *La lingua materna*, Mimesis, Milano.

Avalle, D'Arco Silvio
1995 *Ferdinand De Saussure fra strutturalismo e semiologia*, Il Mulino, Bologna.

Bachtin, Michail
1919 "Arte e responsabilità", trad. it. in Bachtin, Kanaev, Medvedev, Vološinov 1995, pp. 41-42.
1920-24 *Per una filosofia dell'azione responsabile*, a cura di A. Ponzio, Manni, Lecce 1998.
1924 "L'autore e l'eroe nell'attività estetica (frammento del capitolo primo)", in Jachia e Ponzio 1993 (a cura di), pp. 159-184.
1929 *Problemi dell'opera di Dostoevskij*, intr. di A. Ponzio, Edizioni dal Sud, Bari 1997.
1950 "Arte, storia, memoria, linguaggio", in Jachia e Ponzio 1993 (a cura di), pp. 194-196.
1952-53 "Il problema dei generi di discorso", in Bachtin 1979, trad. it., pp. 245-290.
1959-61 "Il problema del testo", in Bachtin 1979, trad. it. pp. 291-319.
1963 *Dostoevskij. Poetica e stilisitica*, trad. it. di G. Garritano, Einaudi, Torino 1968.
1965 *L'opera di Rabelais e la cultura popolare*, trad. it. di M. Romano, Einaudi, Torino 1979.
1970 "Approfittare con più coraggio delle proprie possibilità" (risposta alla redazione di *Novyi Mir*), in Bachtin 1979, trad. it., pp. 341-348; anche in *Scienze umane*, 4, 1980, pp. 16-23.

1970-71 "Dagli appunti del 1970-71", in Bachtin 1979, trad. it., pp. 349-374.

1974 "Basi filosofiche delle scienze umane", trad. it. di N. Marcialis, *Scienze umane* 4, 1980, pp. 8-16.

1975 *Estetica e romanzo*, trad. it. di C. Strada Janovič, Einaudi, Torino 1979, 1997[2].

1979 *L'autore e l'eroe*, trad. it. a cura di C. Strada Janovič, Einaudi, Torino 1988.

Bachtin M.; Kanaev, I.I., Medvedev, P.; Vološinov, V. N.

1995 *Bachtin e le sue maschere. Il percorso bachtiniano fino alla pubblicazione dell'opera su Dostoevskij (1919-29)*, a cura di A. Ponzio, P. Jachia e M. De Michiel, Dedalo, Bari.

Balboni, Paolo

1991 *Tecniche didattiche e processi d'apprendimento linguistico*, Liviana, Padova.

Barthes, Roland

1964a *Essais critiques*, trad. it. di L. Lonzi, *Saggi critici*, Einaudi, Torino 1966.

1964b "Éléments de sémiologie", *Communications,* 4, pp. 91-135; trad. it. di A. Bonomi, *Elementi di semiologia*, Einaudi, Torino 1966.

1966 *Critique et vérité*, trad. it. di C. Lusignoli e A. Bonomi, *Critica e verità*, Einaudi, Torino 1969.

1971 "Le troisième sens", in Barthes 1982.

1972 *Le degré zéro de l'écriture* (1953) suivi de *Nouveaux essais critiques*, trad. it. di G. Bartolucci, R. Guidieri, L. Prato Caruso, R. Loy Provera, *Il grado zero della scrittura* seguito da *Nuovi saggi critici*, Einaudi, Torino 1982.

1973 *Le plaisir du texte*, trad. it. di L. Lonzi, *Il piacere del testo*, Einaudi, Torino 1975.

1978 *Leçon*, trad. it. di R. Guidieri, *Lezione*, Einaudi, Torino 1981.

1981 *Le grain de la voix. Entretiens 1962-80*, trad. it. di L. Lonzi, *La grana della voce*, Einaudi, Torino 1986.

1982 *L'obvie et l'obtus. Essais critiques III*, trad. it. di C. Benincasa, G. Bottiroli, G. P. Caprettini, D. De Agostini, L. Lonzi, G. Mariotti, *L'ovvio e l'ottuso. Saggi critici III*, Einaudi, Torino 1985.

1984 *Le bruissement de la langue. Essais critiques IV*, trad. it. di B. Bellotto, *Il brusio della lingua*, Einaudi, Torino 1998.

1998 *Scritti. Società, testo, comunicazione,* a cura di G. Marrone, Einaudi, Torino.

Binni, Walter

1973 *La protesta di Leopardi*, Sansoni, Firenze.

Blanchot, Maurice

1949 *La littérature et le droit à la mort*, in M. Blanchot, *La part du feu*, Gallimard, Paris.

1955 *L'éspace littéraire*, Gallimard, Paris; trad. it. di G. Zanobetti, *Lo spazio lette-rario*, Einaudi, Torino 1967.

1959 *Le livre à venir*, Gallimard, Paris; trad. it. di G. Ceronetti e G. Neri, *Il libro a venire*, Einaudi, Torino.

1969 *L'entretien infini*, Gallimard, Paris; trad. it. di R. Ferrara, *L'infinito intratte-nimento*, Einaudi, Torino 1977.

1981 *De Kafka à Kafka*, Gallimard, Paris; trad. it. *Da Kafka a Kafka*, Feltrinelli, Milano 1983.

1982 *La follia del giorno*, Elitropia, Reggio Emilia.

Block de Behar, Lisa
1997 *Al margine di Borges*, present. di A. Ponzio, Edizioni dal Sud, Bari.

Bonfantini, Massimo A.; Ponzio, Augusto
1986 *Dialogo sui dialoghi*, Ravenna, Longo.

Bonfantini, M. A.; Bernard, J.; Kelemen, J.; Ponzio, A.
1994 (a cura di) *Reading su Ferruccio Rossi-Landi. Semiosi come pratica sociale*, Edizioni Scientifiche Italiane, Napoli.

Bonfantini, M. A.; Caputo, C.; Petrilli, S.; Ponzio, A.; Sebeok, T. A.
1998 *Basi. Significare, inventare, dialogare*, Manni, Lecce.

Borges, Jorge Luis
1982 *La última sonrisa de Beatriz*, in Borges, *Nueve ensayos dantescos*, Espasa, Madrid 1998.

Calabrese, Omar; Petrilli, Susan; Ponzio, Augusto
1993 *La ricerca semiotica*, Esculapio, Bologna.

Calvino, Italo
1988 *Lezioni americane*, Feltrinelli, Milano.

Camus, Albert
1942 *L'étranger*, Gallimard, Paris; trad. it. di A. Zevi, *Lo straniero*, Bompiani, Mila-no 1987.

Caputo, Cosimo; Signore, Mario; Ponzio, Augusto
1990 (a cura di) *Genesi del senso*, fascicolo monografico di *Idee. Rivista di filoso-fia*, V, 13-15.

1992 (a cura di) *Filosofia e comunicazione*, fascicolo monografico di *Idee. Rivista di filosofia*, a. VII, 20.

Cardona, Giorgio Raimondo
1981 *Antropologia della scrittura*, Loescher, Torino.

Cascone, Gianni
1999 (a cura di) *Riscrittura I,* Derive Approdi, Roma.

Ceronetti, Guido
1970 (a cura di), *Qohélet o l'Ecclesiaste*, Einaudi, Torino.

Chomsky, Noam
1969-70 *Saggi linguistici*, 3 voll., pref. di G. Lepschy, Boringhieri, Torino.
1975 *Reflexions on Language*, trad. it. di S. Scalise, *Riflessioni sul linguaggio*, Einaudi, Torino 1980.
1977 *Intervista su linguaggio e ideologia*, a cura di M. Ronat, Laterza, Roma-Bari.
1980 *Forma e interpretazione*, introd. di G. Graffi, Il Saggiatore, Milano.
1985 *Knowledge of Language*, trad. it. di G. Longobardi e M. Piattelli Palmarini, *La conoscenza del linguaggio*, Il Saggiatore, Milano.
1991 *Linguaggio e apprendimento*, Jaca Book, Milano.

Cobley, Paul
2001 (a cura di) *Semiotics and Linguistics,* Routledge, London.

Conte, Maria Elisabeth
1977 (a cura di) *La linguistica testuale*, Feltrinelli, Milano.
1988 *Condizioni di coerenza*, Edizioni dell'Orso, Alessandria.

Corona, Franco
1986 (a cura di) *Bachtin teorico del dialogo*, Angeli, Milano.

Corti, Maria
1976 *Princìpi della comunicazione letteraria*, Bompiani, Milano.
1978 *Il viaggio testuale*, Einaudi, Torino.
1995 *Dialogo in pubblico. Intervista* di Cristina Nesi, Rizzoli, Milano.

Danesi, Marcel
1998 *The Body in the Sign. Thomas A. Sebeok and Semiotics*, Legas, New York/Toronto.
2000 *Lingua, metafora, concetto. Vico e la linguistica cognitiva*, introd. di A. Ponzio, Edizioni dal Sud, Bari.

Deely, John
1990 *Basics of Semiotics*, Indiana University Press, Bloomington-Indianapolis.

Deely, John; Petrilli, Susan
1993 (a cura di) *Semiotics in the U. S. and Beyond*, *Semiotica* 97-3/4.

Deleuze, Gilles
1967 *Marcel Proust e i segni,* Einaudi, Torino.

Deleuze, Gilles; Agamben, Giorgio
1993 *Bartleby. La fomula della creazione*, Quodlibet, Macerata.

Deleuze, Gilles; Guattari, Félix
1996 *Come farsi un corpo senza organi? Millepiani*, II, Castelvecchi, Roma.

De Mauro, Tullio
1970 *Storia linguistica dell'Italia unita*, Laterza, Roma-Bari.
1980 *Idee e ricerche linguistiche nella cultura italiana*, Il Mulino, Bologna 1980.
1994 *Capire le parole*, Laterza, Roma-Bari.

De Mauro, Tullio; Sugeta, Shigeaki
1995 (eds.) *Saussure and Linguistics Today*, Bulzoni, Roma.

Derrida, Jacques
1967a *L'écriture et la difference*, trad. it. di G. Pozzi, *La scrittura e la differenza*, Einaudi, Torino 1982.
1967b *De la gramatologie*, trad. it. di G. Contri, G. Dalmasso, A. Loaldi, *Della grammatologia*, Jaca Book, Milano.
1967c *La voix et le fenomène*, trad. it. a cura di G. Dalmasso, *La voce e il fenomeno*, Jaca Book, Milano 1968.
1978 *Il fattore della verità*, Adelphi, Milano.

Di Benedetto, Vincenzo
1990 *Lo scrittoio di Foscolo*, Einaudi, Torino 1990.

Di Girolamo, Costanzo; Berardinelli, Alfonso; Brioschi, Franco
1986 *La ragione critica. Prospettive nello studio della letteratura*, Einaudi, Torino.

D'Oria, Anna Grazia
1996 (a cura di) "Letteratura e scuola. In viaggio tra i testi. Letteratura e oltre", *L'immaginazione*, 126.

Ducrot, Oswald *et alii*
1972 *La lingua attivata. Pragmatica, enunciazione, discorso*, Franco Angeli, Milano.

1979 *Dire e non dire*, Officina, Roma.

1989 *Logique, structure, énonciation*, Minuit, Paris.

Eco, Umberto

1962 *Opera aperta*, Bompiani, Milano.

1975 *Trattato di semiotica generale*, Bompiani, Milano.

1979 *Lector in fabula*, Bompiani, Milano.

1980 *Il nome della rosa*, Bompiani, Milano.

1984 *Semiotica e filosofia del linguaggio*, Einaudi, Torino.

1990 *I limiti dell'interpretazione*, Bompiani, Milano.

Eco, Umberto *et alii*

1992 *Interpretation and Overinterpretation*, S. Collini (ed.), Cambridge University Press, New York.

Fasano, Pino

1974 *Stratigrafie foscoliane*, Bulzoni, Roma.

Facchi, Paolo

1992 *Elementi del significare linguistico*, Editre, Trieste.

Fano, Giorgio

1973 *Origini e natura del linguaggio*, Einaudi, Torino; trad. ingl., introd. e cura di S. Petrilli, *The Origins and Nature of Language*, Indiana University Press, Bloomington 1992.

Ferrucci, Carlo

1989 (a cura di) *Leopardi e il pensiero moderno*, Feltrinelli, Milano.

Foscolo, Ugo

1953 *Epistolario*, a cura di P. Carli, *Opere*, vol. XV, Le Monnier, Firenze.

1983 *Lettere d'amore*, a cura di G. Bezzola, Rizzoli, Milano.

1991 *Il sesto tomo dell'io*, a cura di V. Di Benedetto, Einaudi, Torino.

Foucault, Michel

1966 *Le parole e le cose*, trad. it. di E. Panaitescu, Rizzoli, Milano 1978.

1970 *L'ordine del discorso*, trad. it. di A. Fontana, Einaudi, Torino 1972.

1994 *Poteri e strategie*, a. di P. Dalla Vigna, Mimesis, Milano.

1996a *Follia, scrittura, discorso,* a cura di J. Revel, trad. it. di G. Costa, Feltrinelli, Milano.

1996b *Scritti letterari*, Feltrinelli, Milano.

Freud, Sigmund
1910 "Il significato opposto delle parole primordiali", trad. di E. Luserno, in Id., *Opere, 1909-1912*, vol. 6, Borighieri, Torino 1974, pp. 183-191.
1937 "Analisi terminabile e interminabile" e "Costruzioni nell'analisi", in Id., *Opere 1930-1938*, vol. 11, Boringhieri, Torino, pp. 497-535, 539-552.

Gandelman, C., Ponzio, A., Calefato, P., *et alii*
1987 *I segni dell'autore, Carte semiotiche*, 3.

Genette, Gérard
1989 *Soglie. I dintorni del testo*, trad. it. C. M. Cerderna, Einaudi, Torino.

Gensini, Stefano
1984 *Liguistica leopardiana*, Bologna, Il Mulino.

Gide, André
1980 *Il viaggio d'Urien,* trad. it. di C. Restivo, Sellerio, Palermo 1980.

Humboldt, Wilhelm (Von)
1991 *La diversità delle lingue*, intr., trad e cura di D. Di Cesare, Laterza, Roma-Bari.

Ivanov, Kristeva *et alii*
1977 *Michail Bachtin*, a cura di A. Ponzio, Dedalo, Bari.

Jabès, Edmond
1982 *Il libro della sovversione non sospetta*, trad. di A. Prete, Feltrinelli, Milano, 1984.

Jachia, Paolo
1992 *Introduzione a Bachtin*, Laterza, Roma-Bari.

Jachia, Paolo; Ponzio, Augusto
1993 (a cura di) *Bachtin &...*, Laterza, Roma-Bari.

Kafka, Franz
1910-23 *Diari*, a cura di M. Brod, Mondadori, Milano 1966.

Kierkegaard, Sören
1843 *Enten-Eller*, trad. it. di A. Cortese, 5 voll. Adelphi, Milano 1976-89.

Kress, Gunther; Hodge, Rodge
1979 *Language as Ideology*, Routledge & Kegan Paul, London.

Kristeva, Julia

1974 *La révolution du langage poétique*, trad. it. di S. Eccher Dall'Eco, A. Musso, G. Sangalli, *La rivoluzione del linguaggio poetico*, Marsilio, Venezia 1979.

1977 *Polylogue*, Seuil, Paris.

1981 *Poteri dell'orrore. Saggio sull'abiezione*, Spirali, Milano.

1982 *Le langage, cet inconnu*, Seuil, Paris, 1ª ed. 1969; trad. it. a cura di A. Ponzio, con un'intervista di A. Ponzio a J. Kristeva, *Il linguaggio, questo sconosciuto*, Adriatica, Bari 1992.

1983 *Histoire d'amour*, trad. it. *Storie d'amore*, Editori Riuniti, Roma 1985.

1988 *Etranger à nous mêmes*, Fayard, Paris.

Kundera, Milan

1994   *I testamenti traditi,* Adelphi, Milano.

Leopardi, Giacomo

1817 *Diario del primo amore*, Il melangolo, Genova 1981.

1991 *Zibaldone dei miei pensieri*, 3 voll., a cura di G. Pacella, Garzanti, Milano.

1998 *La varietà delle lingue. Pensieri sul linguaggio lo stile e la cultura italiana*, a cura di S. Gensini, La Nuova Italia, Firenze.

Lettura e ricezione del testo, Atti del convegno internazionale, Lecce, 8-10 ottobre 1981, Adriatica Editrice Salentina, Lecce.

Lepschy, Giulio C.

1966 *La linguistica strutturale*, Einaudi, Torino.

1989 *Sulla linguistica moderna*, Il Mulino, Bologna.

Lévinas, Emmanuel

1948 "La réalité et son ombre", trad. it. in Lévinas 1976.

1961 *Totalité et infini*, trad. it. di A. Dell'Asta, introd. di S. Petrosino, *Totalità e infinito*, Jaca Book, Milano 1980.

1972 *Humanisme de l'autre homme*, Fata Morgana, Montpellier.

1974 *Autrement qu'être ou au-delà de l'essence*, trad. it. di S. Petrosino e M.T. Aiello, introd. di S. Petrosino, *Altrimenti che essere o al di là dell'essenza*, Jaca Book, Milano.

1976 *Noms propres*, trad. it. a cura di F. P. Ciglia, *Nomi propri*, Marietti, Casale Monferrato 1984.

1979 *La traccia dell'altro*, trad. di F. Ciaramella, Pironti, Napoli.

1987 *Hors Sujet*, trad. it. e pref. di F. P. Ciglia, *Fuori dal Soggetto*, Marietti, Genova 1992.

1990 *Le sens et l'œuvre, Athanor* 1, pp. 5-10.

1991 *Entre nous. Essais sur le penser-à-l'autre*, Grasset, Paris.

1999 *Filosofia del linguaggio*, a cura di J. Ponzio, Graphis, Bari.

L'intertestualità, X Convegno AISS (Associazione Italiana Studi Semiotici), Cadenabbia, 8-10 ottobre 1982.

Lotman, Jurij M.

1980 *Testo e contesto. Semiotica dell'arte e della cultura*, a cura di S. Salvestroni, Laterza, Bari.

Malevič, Kazimir

2000 *Suprematismo,* a cura di G. Di Milia, Abscondita, Milano.

Manzoni, Alessandro

1971 *I promessi sposi,* nelle due edizioni del 1840 e del 1825-27, insieme a *Fermo e Lucia* e *Appendice sulla colonna infame*, 2 voll., a cura di L. Caretti, Einaudi, Torino.

1992 *I promessi sposi*, a cura di Fausto Ghisalberti, Hoepli, Milano.

Medvedev, Pavel N. (e Michail Bachtin)

1928 *Il metodo formale e la scienza della letteratura*, trad. it. di R. Bruzzese, introd. di A. Ponzio, Dedalo, Bari 1978.

Melville, Hermann

1853 *Bartleby lo scrivano*, trad. di G. Celati, Feltrinelli, Milano, 1994.

Merrell, Floyd

1992 *Sign, Textuality, World*, Indiana University Press, Bloomington.

Morante, Elsa

1995 *La Storia*, introd. di C. Garboli, Einaudi, Torino.

Moravia, Sergio

1984 (a cura di) *Il ragazzo selvaggio dell'Aveyron*, Adriatica, Bari.

Morris, Charles

1946 *Signs, Language and Behavior*, trad. it. di S. Ceccato, *Segni, linguaggio e comportamento*, Longanesi, Milano 1949.

1964 *Signification and Significance. A Study of the Relations of Signs and Values*, trad. it. di S. Petrilli, *Significazione e significatività*, in Morris 1988, pp. 29-126; nuova ed. Morris 2000.

1971 *Writings on the General Theory of Signs*, a cura di T. A. Sebeok, Mouton, Den Haag.

1988 *Segni e valori. Significazione e significatività e altri scritti di semiotica, etica ed estetica*, trad. introd. e cura di S. Petrilli, Adriatica, Bari.

2000 *Significazione e significatività*, trad. introd. e cura di S. Petrilli, Graphis, Bari.

Nuovi programmi didattici per la scuola primaria (D.P. R. 12 febbraio 1985), Istituto poligrafico e Zecca dello Stato, Roma.

Orwell, Georges

1949 *1984, Nineteen Eigthty-Four. A Novel*, Penguin, New York 1982.; trad. it. di G. Baldini, *1984*, Milano, Mondadori 1982.

Pandolfi, Alearda; Vannini, Walter

1994 *Che cos'è un ipertesto?*, Castelvecchi, Roma.

Pasero, Nicolò

1984 (a cura di) *Saggi su Bachtin, Immagine riflessa*, 1/2.

Pasolini, Pier Paolo

1972 *Empirismo eretico*, Garzanti, Milano.

1976 *Lettere luterane*, Einaudi, Torino.

1990 *Scritti corsari*, Garzanti, Milano.

Peirce, Charles Sanders

1931-1958 *Collected Papers*, voll. 1-8, a c. di C. Hartshorne, P. Weiss, A. W. Burks, Harvard University Press, Cambridge; trad. it. parz. in Peirce 1980 e 1984.

1980 *Semiotica. I fondamenti della semiotica cognitiva*, a cura di M. A. Bonfantini, L. Grassi, R. Grazia, Einaudi, Torino.

1984 *Le leggi delle ipotesi*, a cura di M. Bonfantini, R. Grazia e P. Proni, Bompiani, Milano.

Petrilli, Susan

1988 *Significs, semiotica, significazione*, Adriatica, Bari.

1995a *Materia segnica e interpretazione*, Milella, Lecce.

1995b *Che cosa significa significare?*, Edizioni dal Sud, Bari.

1998 *Teoria dei segni e del linguaggio*, Graphis, Bari; nuova ed. 2001.

Pirandello, Luigi

1985 *Uno, nessuno e centomila*, Mondadori, Milano.

Pietro Ispano

1986 *Tractatus. Summule Logicales*, trad. dal latino di A. Ponzio, Adriatica, Bari.

Ponzio, Augusto

1980 *Michail Bachtin,* Dedalo, Bari.

1983 *Tra linguaggio e letteratura,* Adriatica, Bari.

1985 "Semiotica e metodologia della storiografia filosofica. Aspetti e problemi dell'intertestualità", in Ponzio, *Filosofia del linguaggio,* Bari, Adriatica, 1985, pp. 23-45.

1986 *Interpretazione e scrittura,* Bertani, Verona.

1988 *Rossi-Landi e la filosofia del linguaggio,* Adriatica, Bari.

1990a *Man as a Sign. Essays on the Philosophy of Language,* introd. trad. e cura di S. Petrilli, Mouton de Gruyter, Berlin-New York.

1990b *Il filosofo e la tartaruga,* Longo, Ravenna.

1992a *Tra semiotica e letteratura. Introduzione a Michail Bachtin,* Bompiani, Milano.

1992b *Production linguistique et idéologie sociale,* Les Éditions Balzac, Candiac (Québec).

1992c *Dialogo e narrazione,* Milella, Lecce.

1993a *Signs, Dialogue and Ideology,* a cura di S. Petrilli, John Benjamins, Amsterdam.

1993b *L'acrobata e la sua ombra,* Stampa alternativa, Roma-Bari.

1994a *Scrittura, dialogo, alterità. Tra Bachtin e Lévinas,* La Nuova Italia, Firenze.

1994b *Fondamenti di filosofia del linguaggio* (in coll. con Patrizia Calefato e Susan Petrilli), Bari-Roma, Laterza.

1995a *La differenza non indifferente,* Mimesis, Milano.

1995b *I segni dell'altro. Eccedenza letteraria e prossimità,* Edizioni Scientifiche Italiane, Napoli.

1995c *El juego del comunicar. Entre literatura y filosofia,* a cura di Mercedes Arriaga, Episteme, Valencia.

1995d *Segni per parlare dei segni,* Bari, Adriatica.

1995e *Responsabilità e alterità in Emmanuel Lévinas,* Jaca Book, Milano.

1997a *La rivoluzione bachtiniana. Il pensiero di Bachtin e l'ideologia contemporanea,* Levante, Bari.

1997b *Che cos'è la letteratura?,* Milella, Lecce.

1997c *Metodologia della formazione linguistica,* Laterza, Roma-Bari.

1997d *Elogio dell'infunzionale.* Castelvecchi, Roma.

1999 *La coda dell'occhio. Letture del linguaggio letterario,* Graphis, Bari.

Ponzio, Augusto; Petrilli, Susan

2000 *Philosophy of Language, Art, and Answerability in Michail Bachtin,* Legas, Toronto.

Ponzio, Luciano
2001 *Icona e raffigurazione. Bachtin, Malevič, Chagall*, Adriatica, Bari.

Prete, Antonio
1980 *Il pensiero poetante,* Feltrinelli, Milano.
1994 *L'albatros di Baudelaire*, Pratiche, Parma.
1996 *L'ospitalità della lingua*, Manni, Lecce.

Proni, Giampaolo
1990 *Introduzione a Peirce,* Bompiani, Milano.

Proust, Marcel
1978 *L'indifferente*, a cura di A. Bongiovanni Bertini, introd. di G. Agamben, Einaudi, Torino.

Rigotti, Eddo
1993 "La sequenza testuale: definizione e procedimenti di analisi con esemplificazioni in lingue diverse", *L'analisi testuale*, 1, pp. 43-148.

Rosiello, Luigi,
1967 *Linguistica illuminista*, Il Mulino, Bologna.

Rossi-Landi, Ferruccio
1985 "L'autore fra riproduzione sociale e discontinuità" (Seminario nell'Università di Bari 19 aprile 1985), *Lectures,* 15.
1992a *Il linguaggio come lavoro e come mercato* (1ª ed. 1968), a cura di A. Ponzio, Bompiani, Milano.
1992b *Between Signs and Non-Signs*, a cura di Susan Petrilli, John Benjamin, Amsterdam.
1994 *Semiotica e ideologia* (1ª ed. 1972), a cura di A. Ponzio, Milano, Bompiani.
1998 *Significato, comunicazione e parlare comune* (1ª ed. 1961) a cura di A. Ponzio, Marsilio, Venezia.

Salvucci, Roberto
1982 *Sviluppi della problematica del linguaggio nel XVIII secolo*, Maggioli, Rimini.

Šaumjan, Sebastian, K.
1965 *Linguistica dinamica*, introd. e trad. di E. Rigotti, Laterza, Bari 1970.
1987 *A Semiotic Theory of Language,* Indiana University Press, Bloomington.

Saussure (De), Ferdinand
1916 *Cours de linguistique générale*, ed. critica di R. Engler, O. Harrassowitz,

Wiesbaden, 1968-1974, 4 voll.; trad. it. a cura di T. De Mauro, *Corso di linguistica generale*, Laterza, Roma-Bari 1978, 5ª ed.

Sebeok, Thomas A.
1979 *The Sign and Its Masters*, trad. it., introd. e cura di S. Petrilli, *Il segno e i suoi maestri*, Adriatica, Bari 1985.
1981 *The Play of Musement*, trad. it. di M. Pesaresi, *Il gioco del fantasticare*, Spirali, Milano 1984.
1986 *I Think I Am a Verb,* trad. it., introd. e cura di S. Petrilli, *Penso di essere un verbo*, Sellerio, Palermo 1990.
1991 *A Sign Is Just a Sign*, trad it. introd. e cura di S. Petrilli, *A Sign Is Just a Sign. La semiotica globale*, Spirali, Milano, 1998.

Sebeok, Thomas A.; Danesi, Marcel
2000 *The forms of Meanings. Modeling Systems Theory and Semiotic Analysis*, Mouton de Gruyter, Berlin - New York.

Segre, Cesare
1979 *Semiotica filologica*, Einaudi, Torino.
1982 "Intertestuale/interdiscorsivo", relazione al Convegno annuale dell'AISS, 1982, *L'intertestualità* (cit. in questa bibliografia).
1983 (a cura di) *Intorno alla linguistica*, Feltrinelli, Milano.
1984 *Teatro e romanzo*, Einaudi, Torino.
1985a *Avviamento all'analisi del testo letterario*, Einaudi, Torino.
1985b *Strutturalismo e critica*, Il Saggiatore, Milano.
1985c "Il dialogismo nel romanzo medievale", in AA.VV., *Il dialogo*, Sellerio, Palermo 1985, pp. 63-71.

Šklovskij, Victor
1966 *Una teoria della prosa*, Garzanti, Milano.

Sobrero, Alberto A.
1993a (a cura di) *Introduzione all'italiano contemporaneo*, voll.: *I. Le strutture, II. La variazione e gli usi*, Laterza, Roma-Bari.
1993b *Pragmatica*, in Id. (a cura di) 1993, vol. I, pp. 403-450.
1993c *Lingue speciali*, in Id. (a cura di) 1993, vol. 1II, pp. 237-278.

Solimini, Maria
2000 *Itinerari di antropologia culturale*, Edizioni dal sud, Bari.

Starobinski, Jean
1971 *Les mots sous mots. Les anagrammes de Ferdinand de Saussure, Le parole sotto le parole. Gli anagrammi di Ferdinand de Saussure*, Il Melangolo, Genova.

Steiner, George
1975 *After Babel,* nuova ed. 1992, trad. it. *Dopo Babele. Aspetti del linguaggio e della traduzione*, Garzanti, Milano 1994.

Sterne, Lawrence
1981 *Per Eliza*, trad. di R. Birindelli, con una nota di A. Brilli, Sellerio, Palermo.
1983a *Viaggio sentimentale*, trad. di U. Foscolo, a cura di G. Sertoli, con testo a fronte, Mondadori, Milano.
1983b *Tristram Shandy*, trad. di A. Meo, Garzanti, Milano.

Sterne, Laurence - Foscolo, Ugo
1983 *Viaggio sentimentale, di Yorik lungo la Francia e l'Italia*, introd. e note di M. Bulgheroni e Paolo Ruffili, Garzanti, Milano.

Svevo, Italo
1985 *Senilità*, introd. di G. Contini, Garzanti, Milano.
1997 *La coscienza di Zeno*, introd. di G. Dego, Rizzoli, Milano.
2000 *Una vita*, a cura di F. Amigoni, Einaudi, Torino.

Timpanaro, Sebastiano
1970 *Sul materialismo,* Nistri-Lischi, Pisa.

Titone, Renzo
1996 (a cura di) *La personalità bilingue. Caratteristiche psicodinamiche*, Bompiani, Milano.

Todorov, Tzvetan
1968 *I formalisti russi,* Einaudi, Torino.

1978 *I generi del discorso*, trad. it di M. Botto, La Nuova Italia, Firenze.

Vailati, Giovanni
2001 *Il metodo della filosofia. Saggi di critica del linguaggio*, Graphis, Bari.

Valery, Paul
1999 *Il cimitero marino*, trad. it. di A. Ponzio, in Ponzio 1999, pp. 133-137.

Vološinov, Valentin N. (e Michail Bachtin)
1926-30 *Il linguaggio come pratica sociale,* a cura di A. Ponzio, Dedalo, Bari 1980.

1926 *La parola nella vita e nella poesia,* trad. it. di R. Bruzzese in Vološinov 1926-30.

1927 *Freudismo,* trad. it. di R. Bruzzese, Dedalo, Bari 1977.

1929 *Marxismo e filosofia del linguaggio,* a cura di A. Ponzio, Manni, Lecce 1999.

Vygotsky, Lev, S.

1925 *Psicologia dell'arte,* Editori Riuniti, Roma, 1972.

1934 *Pensiero e linguaggio,* ed. critica a cura di L. Mecacci, Laterza, Roma-Bari 1990.

Welby, Victoria

1985 *Significato, metafora interpretazione,* a cura di S. Petrilli, Adriatica, Bari.

Wittgenstein, Ludwig

1922 *Tractatus logico-philosophicus,* trad. it. di A. G. Conte, Einaudi, Torino 1980.

1953 *Ricerche filosofiche,* trad. it. di M. Trinchero e R. Piovesan, Einaudi, Torino 1967.

Woolf, Virginia

1979 *La signora dell'angolo di fronte,* Il Saggiatore, Milano.

Finito di stampare nel mese di luglio 2001
da Guerra guru s.r.l. - Via A. Manna, 25 - 06132 Perugia
Tel. +39 075 5289090 - Fax +39 075 5288244
E-mail: geinfo@guerra-edizioni.com